M000210209

*El gran teatro del mundo*

—

*El gran mercado del mundo*

Letras Hispánicas

Pedro Calderón de la Barca

# El gran teatro del mundo

---

# El gran mercado del mundo

Edición de Eugenio Frutos Cortés

DÉCIMA EDICIÓN

CÁTEDRA

LETRAS HISPÁNICAS

© Ediciones Cátedra, S. A., 1989
Josefa Valcárcel, 27. 28027 Madrid
Depósito legal: M. 7.293-1989
ISBN: 84-376-0029-4
*Printed in Spain*
Impreso en Anzos, S. A. - Fuenlabrada (Madrid)

# Índice

Introducción................................... 9

    Vida y significación de Calderón............... 11

    «El gran teatro del mundo».................... 21

Bibliografía................................... 29

Cronología de Calderón de la Barca............. 35

El gran teatro del mundo....................... 39

Nota preliminar a «El gran mercado del mundo».. 93

El gran mercado del mundo..................... 101

*Introducción*

# AUTOS
## SACRAMENTALES,
### ALEGORICOS,
## Y HISTORIALES

DEL INSIGNE POETA ESPAÑOL

### DON PEDRO CALDERON
#### DE LA BARCA,

Cavallero del Orden de Santiago, Capellan de Honor de su Magestad, y de los Señores Reyes Nuevos de la Santa Iglesia de Toledo.

## OBRAS POSTHUMAS,

QUE SACA A LUZ
*DON PEDRO DE PANDO Y MIER,*
Y LAS DEDICA
A LOS EXCELENTISSIMOS SEÑORES
Condes de Lemos, &c.

### PARTE QVINTA.
#### CON PRIVILEGIO,

En MADRID: En la Imprenta de MANUEL RUIZ
DE MURGA, à la Calle de la Habada. Año de 1717.

Portada de la primera edición de los *Autos*.

# Vida y significación de Calderón

*Primeros años*

Don Pedro Calderón de la Barca, nació en Madrid, el día de San Antón, 17 de enero de 1600. Era hijo de don Diego Calderón de la Barca, secretario del Consejo de Hacienda, y de doña María Henao y Riaño, de los cuales era tercer hijo y segundo varón. Fue bautizado el 4 de febrero siguiente en la iglesia de San Martín, que estaba cerca de la calle del Arenal. Como padrinos actuaron su tía Ana Calderón y el contador don Antolín de la Serna.

Durante los primeros años de su vida, vivió alternativamente en Madrid o Valladolid, según los traslados de la Corte. En 1607 se instala la familia definitivamente en Madrid, en la calle de las Fuentes.

*Estudios*

Por esta época comienza la edad escolar de Calderón. Como su letra —desigual, nerviosa y sobria— pertenece a la escuela de Morante, se cree que él y su hermano José estudiarían con este gran calígrafo toledano, que se había trasladado a Madrid en 1612 y había abierto escuela en la plaza del Ángel. Posteriormente, su letra se ensancha, según el estilo de José de Casanova, al frente de cuyo libro —publicado en 1650— va un soneto de Calderón.

Pero lo que es seguro es que desde 1608 aparece

como estudiante en el Colegio Imperial de los jesuitas y continúa en él durante cinco años.

La muerte de una tía —doña Inés de Riaño, viuda de Henao—, acaecida en 1612, va a determinar la dirección de los estudios de Calderón, encauzándolos hacia la filosofía y la teología. En efecto, esta señora dejó fundada una capellanía, en la capilla de San José de la iglesia de San Salvador. Las rentas de la capellanía deberían ser gozadas sucesivamente por los tres hermanos Calderón —Diego, Pedro y José— hasta los veinticuatro años, de no ser que alguno se hiciera clérigo, en cuyo caso se vincularían en él definitivamente. Entre los bienes de esta capellanía figuraba la casa número 75 de la calle Mayor, donde en 1681 habría de morir don Pedro Calderón.

La madre de nuestro poeta había pensado que éste abrazara el estado sacerdotal, según él mismo declara en un romance autobiográfico. Aunque sólo en edad ya avanzada se hizo Calderón sacerdote, esta serie de circunstancias determinaron, de momento, que se dedicase a los estudios. En los años 1614 y 1615 aparece matriculado en la Universidad de Alcalá. Muere su padre el 21 de noviembre de 1615, pero en su testamento ordena que su hijo Pedro «por ningún caso deje sus estudios». Pedro los continúa en Salamanca desde 1615, si bien parece que con la interrupción del año siguiente. El primero de Cánones lo cursa, en Salamanca, de 1617 a 1618, y allí sigue hasta 1620.

*Primeras manifestaciones literarias*

Por entonces aparecen sus primeras manifestaciones literarias públicas. Concurre a los certámenes poéticos celebrados con motivo de la beatificación de San Isidro, en 1620, y después de su canonización, en 1622, y en el mismo año, al organizado por los jesuitas en honor de San Ignacio y San Francisco Javier. Obtuvo el tercer premio por la *canción* en el de San Isidro, el primero por un romance dedicado a la *Penitencia de San Ignacio* y el segundo por unas quintillas en que se celebraba un milagro de San Francisco Javier.

## Autor dramático. Viajes y lances

Pero hasta el 29 de junio de 1623 no se representa su primera obra dramática, que fue la comedia titulada *Amor, honor y poder*. Desde este año hasta 1625 parece que estuvo en tierras flamencas, según lo acusa la viveza de los detalles contenidos en la comedia *El sitio de Breda*, que fue escrita en 1625. Otro episodio de su vida se refleja en *El Príncipe Constante*, de 1628. Me refiero a la aventura en la que el cómico Villegas hirió a un hermano de Calderón, y éste, con otro hermano, le persiguieron penetrando en el convento de las Trinitarias, que era de clausura, y en el cual estaba Marcela, la hija de Lope de Vega. Tanto Lope como el famoso orador Hortensio Paravicino se quejaron, elevando este último tremebundo memorial al rey. Esta puede ser la causa de que Calderón se burle, en *El Príncipe Constante*, de la oratoria culterana de fray Hortensio.

## El triunfo

Su producción aumenta y se hace famoso. Le alaban Lope de Vega, en *El laurel de Apolo*, y Montalbán en su *Para todos*, de 1632. Colabora, a veces, con otros dramaturgos, como el mismo Montalbán, Mira de Amescua, Coello y Rojas. Puede decirse que esta intensa etapa de producción culmina y adquiere plena madurez con la comedia titulada *La vida es sueño*, que corresponde al año 1635.

En el siguiente, su hermano don José reúne la *Parte Primera de Comedias de Don Pedro Calderón*, y se le otorga, en 1637, el título de Caballero de la Orden de Santiago. A este mismo año corresponde otra gran obra, *El mágico prodigioso*, escrito por encargo de la villa de Yepes. Hizo también un viaje a Valencia.

## Guerra de Cataluña

En 1640 se incendió el teatro del Buen Retiro y comenzó la guerra de Cataluña, en la que tomó parte Calderón como caballero de las Ordenes Militares. Actuó en dos campañas con gran valor, como consta por un informe muy favorable sobre él extendido por el teniente general don Álvaro de Quiñones. Pidió su retiro definitivo en 1642. Su impresión del ejército no parece haber sido demasiado favorable a juzgar por lo que se refleja en una de sus grandes obras, *El alcalde de Zalamea*, que corresponde a esta época.

## Inactividad

Siguen unos años de forzada inactividad en su producción, a causa del cierre de los teatros, originada por las desgracias ocurridas a la real familia, que por cierto van acompañadas también de desgracias familiares para el poeta. En 1644 murió la reina y en 1646, el príncipe Baltasar Carlos.

Pero, cuando, en 1648, el rey contrae nuevo matrimonio con doña Mariana de Austria, vuelven a abrirse los teatros y Calderón escribe, para conmemorar el suceso, el auto sacramental *La segunda esposa*, y continúa su producción con otras obras.

*Calderón, sacerdote*

Pronto se inicia la crisis en la vida de Calderón, que le había de llevar, por fin, al sacerdocio. Toma el hábito de la Orden Tercera el 16 de octubre de 1650, vuelve a la capellanía que dejó a la familia Calderón doña Inés de Riaño, y en 1651 ocupa la casa de Platerías. Las obras se suceden en éste y en los años sucesivos, entre ellas algunos de los autos sacramentales más conocidos, como *El pleito matrimonial del alma y el cuerpo*, del mismo 1651.

Obtuvo una capellanía en los Reyes Nuevos de Toledo en 1653 y allí compone un largo poema sobre la frase *Psalle et Sile* ('canta y calla'), que figuraba inscrita en el coro. Con motivo de la conversión de la reina Cristina de Suecia compone el auto sacramental *La protestación de la fe*, en 1656.

*Poeta y capellán real*

De aquí en adelante sus obras son principalmente comedias o «zarzuelas», para fiestas reales, y autos sacramentales. La Zarzuela era un pabellón en el que descansaban los reyes cuando iban a cazar al Pardo y no querían volver a Madrid. Entonces, para distraerles, se desplazaba una compañía de cómicos, que representaban allí alguna comedia o pieza dramática, a veces con música y canciones, lo que dio luego nombre genérico a la *zarzuela*.

En 1663 se instala Calderón definitivamente en Madrid. El rey le nombra capellán de honor el 13 de febrero, e ingresa, el 20 de marzo, en la Congregación de Presbíteros de Madrid, que luego había de nombrarle, en 1666, su capellán mayor y a la que legaría todos sus bienes. Sus autos complican la escenografía y la trama. De 1673 parece ser la última redacción del auto *La vida es sueño*. Se van publicando también las diversas *Partes* de sus comedias hasta la *Quinta Parte*, que se publica en 1677, y en este mismo año se da la colección de 12 *Autos sacramentales*, única aparecida en vida del autor.

## Balance

La última comedia de Calderón, titulada *Hado y divisa de Leonido y de Marfisa* se representa, con mucho éxito, en una fiesta del Retiro, el 3 de marzo de 1680. De esta misma fecha es el auto *Andrómeda y Perseo*, y la lista de sus obras que Calderón envía al duque de Veragua, que se la había solicitado: 110 comedias. Algunas se han perdido y otras no están incluidas. Pueden contarse más de 120 comedias. Le manda también otra de los autos: 70 (79 según la última edición de Valbuena).

## Muerte

En el último año de su vida, aún escribe Calderón el auto sacramental *El cordero de Isaías* y deja casi terminada *La divina Filotea*, que concluyó don Melchor Fernández de León. Murió el 25 de mayo, domingo de Pentecostés, de 1681, a las doce y media de la mañana. Se le enterró, al día siguiente, en la capilla de San José de la iglesia de San Salvador, con sus antepasados. Fue en el féretro, por mandato expreso de su testamento, descubierto, para escarmiento de vanidades. El tema del desengaño del mundo, tan fundamental en su obra, sigue actuando aquí. Legó sus bienes, como se ha dicho, a la Congregación de Presbíteros, y sus papeles a su particular amigo, el párroco de San Miguel, doctor don Mateo Lozano.

Por hallarse en ruina la iglesia de San Salvador se

trasladaron sus restos, apoteósicamente, al cementerio de la Puerta de Atocha, en 1841. Después han sufrido otros cuatro traslados, el último en 1902, cuando se fundó el hospital e iglesia de la parte alta de San Bernardo.

En 1850, un aviso muy oportuno de Mesonero Romanos salvó del derribo la casa de la calle Mayor donde murió nuestro poeta, y se puso en ella una lápida. En 1880, por iniciativa del dramaturgo don Adelardo López de Ayala, el escultor don Juan Figueras realizó el monumento que se instaló en la plaza de Santa Ana.

## Significado de Calderón

La larga vida de Calderón es parca en sucesos, por su carácter concentrado y especulativo, pero rica en obras.

Calderón es el dramaturgo de la Contrarreforma y del Barroco español. El sentido teológico y metafísico de esta época informa todas sus obras. Como perfecto tridentino, Calderón aúna la fe y la razón, de modo que el racionalismo barroco no toma en él los derroteros subjetivistas y escépticos del racionalismo europeo del XVII.

Teológicamente, centra todo el dogma católico en torno a la Eucaristía, y de ahí que sea esencial en la evolución de su pensamiento la creación de los *autos sacramentales*. Por esto, porque era una exigencia íntima de su espíritu, los autos alcanzan en él cimas de pensamiento y poesía.

## El auto sacramental

Los autos sacramentales son composiciones lírico-dramáticas, en un acto, de carácter alegórico, y se refieren, directa o indirectamente, a la Eucaristía.

Algunos autos de Calderón sólo se refieren indirectamente a la Eucaristía, como por ejemplo los autos marianos, pero por su dedicación o por su motivación son todos eucarísticos, pues normalmente se representan por la fiesta del *Corpus*.

En sus mejores autos sacramentales se resume la vida teológica de la humanidad con los tres momentos esenciales de creación, pecado y redención. En los autores anteriores a Calderón el auto es mucho más sencillo y no alcanza toda su plenitud.

## *Caracteres religiosos, filosóficos y morales*

Se deben señalar como caracteres fundamentales de los autos sacramentales, su *catolicidad*, que después del concilio de Trento lleva a centrar el tema en la *Eucaristía*, y su carácter *redencionista*, pues la Redención es el centro de la vida humana. Este carácter es inseparable del anterior.

Hay que destacar además su carácter *litúrgico* y *didáctico*, es decir, instructivo en cuestiones teológicas. El modo de realizar esto es *simbólico* y *alegórico*, haciendo que los *personajes* del auto sean *abstractos* y *universales*.

Son frecuentes las representaciones anímicas, por lo cual también se ha señalado la importancia del elemento *psicológico*. Podríamos añadir la clara intención *moral*, que se manifiesta en muchos actos, como ocurre en *La cena del Rey Baltasar*, *No hay más fortuna que Dios*, y estos mismos autos que aquí presentamos.

## *Caracteres literarios*

Merece también destacarse el carácter *lírico* y la *musicalidad* de los autos. Los conceptos se adornan retóricamente, se intercalan sonetos y canciones, y podemos decir que en los autos más logrados se integran todos los motivos en un desarrollo sinfónico. Hay tal ponderación de partes, que muchas veces se puede señalar la estructura esquemática del auto con toda precisión. Este lirismo no impide su *carácter técnico*. Calderón se vale de muchos recursos técnicos, como se puede apreciar en las llamadas «Memorias de las apariencias», es decir, de las decoraciones que iban apareciendo en los distintos «carros», en que los autos se representan. La complejidad técnica es creciente.

## Carácter nacional

El modo de catolicidad señala muy bien el *carácter nacional español*, por la unión de lo religioso y lo humano, de lo singular y lo universal, alcanzando una síntesis o equilibrio filosófico de estilo muy español.

## Barroquismo de los autos de Calderón

Finalmente, el *barroquismo* de Calderón tiene ocasión de manifestarse ampliamente en los autos, tanto en la forma como en el pensamiento y la estructura. En *El Gran Teatro del Mundo*, las silvas iniciales son culteranas, y las décimas en que el *Autor* dialoga con los futuros personajes, antes de existir éstos, suponen un complicado juego de conceptos. Los paralelismos y antítesis entre *el Rico* y *el Pobre*, *la Discrección* y *la Hermosura*, y en general toda la calculada estructura del auto, manifiestan la tendencia unificadora y subordinante del barroco y su carácter sistemático, que diferencia sus obras esencialmente del desorden «romántico».

## Clasificación

La de Valbuena los distribuye de esta manera:

a) Autos filosóficos y teológicos.
b) Autos mitológicos.
c) Autos de temas del Antiguo Testamento.
d) Autos inspirados en parábolas y relatos evangélicos.
e) Autos de circunstancias.
f) Autos históricos y legandarios.
g) Autos de Nuestra Señora.

Por su parte, Parker da esta otra clasificación:

a) Dogmático.
b) Escritural.
c) Apologético.
d) Ético.
e) Devocional (hagiológico).

En esta última clasificación, *El Gran Teatro del Mundo* correspondería al apartado *d)*; en la clasificación de Valbuena, al *a)*, en el que se encontrarían los autos más importantes de Calderón, pero habría que añadir que. a diferencia de *La vida es sueño*, *El veneno y la triaca* y otros semejantes, serían más que de carácter filosófico-teológico, de carácter *filosófico-moral*.

# «El gran teatro del mundo»

*El Gran Teatro del Mundo* se sabe con seguridad que se representó en 1649, y era ya considerado como «auto viejo». Pero Valbuena observó que bastaban cuatro o cinco años para que esto ocurriera, por lo cual lo fechó, aproximadamente, hacia 1645. Sin embargo, después, el estudio de las características del auto y del *Epicteto* de Quevedo le han llevado a fecharle entre 1633 y 1635. Por la estructura del auto nos parece más probable esta fecha.

*Argumento*

El hispanista inglés Parker distingue en los autos sacramentales el *asunto* del *argumento*. El asunto o tema es siempre eucarístico, pero los argumentos son diversos.

Corresponde, pues, exponer ahora el *argumento* de *El Gran Teatro del Mundo*.

Aunque no tiene la complicación de los autos últimos de Calderón, este auto comprende en su desarrollo varios momentos claramente definidos por Valbuena, que son los siguientes:

*Primer momento*

Aparece el *Autor*, que es Dios mismo, en cuanto crea el escenario y los personajes de la representación,

21

e invoca al *Mundo*. La invocación se hace en silvas, que tanto por la idea desarrollada —la fábrica del universo— como por el vocabulario y la construcción sintáctica, son claramente barrocas. Aparece *el Mundo*, contestando a la invocación divina, y en un largo romance —una vez que conoce los propósitos del *Autor*— expone: *a)*, la creación y la aparición del hombre sobre la tierra hasta el diluvio universal; *b)*, la salvación, el arca y la aparición del iris de paz, con lo que termina el primer acto de la vida de la humanidad, que corresponde a la *ley natural; c)*, el segundo acto de esta vida, que corresponde a la *ley escrita*, es decir, al Antiguo Testamento, en el que se da brevemente la historia del pueblo hebreo, especialmente la huida y vuelta de Egipto; *d)*, el tercer acto corresponde a la *ley de gracia*, y termina con el apocalipsis; *e)*, a todo esto se añade la indicación de que para salir y entrar en escena, el Mundo tiene dos puertas: la *cuna* y la *sepultura*, y que dará a cada personaje los atributos que necesite para representar bien su papel.

*Segundo momento*

Una vez preparada la escena han de aparecer los personajes. Este es el segundo momento en que el *Autor*, esto es, Dios, dialoga con los hombres que aún no existen, representados por algunos personajes genéricos, como son el *Rico*, el *Labrador*, el *Pobre*, la *Hermosura*, la *Discreción*.

El diálogo es posible en cuanto la existencia de los seres, aunque contingente en este mundo, es eterna a los ojos de Dios, de modo que están en *su concepto* antes de aparecer en el Teatro del Mundo. Este fragmento es el de mayor profundidad filosófica y teológica del auto. Se hace notar, que, antes de existir, al carecer de voluntad, los hombres no pueden elegir su papel, pero se afirma después que el hacerlo bien o mal es cosa suya, y que según obren se les recompensará, con lo cual queda afirmado el libre albedrío. También se advierte que la comedia humana no se puede ensayar, sino que la ocasión de vivir es única y sin remedio, y por lo tanto, el acierto o el desacierto en ella. Pero la norma, que luego ha de repetir la *Ley* a cada pregunta de los personajes es ésta: «Obrar bien que Dios es Dios.» La intención moral del auto se acusa con esto claramente. Todo este fragmento está escrito en décimas, que Calderón maneja, como es sabido, con gran maestría. Esta parte termina con la entrega por el *Mundo* de los atributos que a cada uno le corresponden.

*Tercer momento*

Se desenvuelve en un doble plano: uno, intemporal, en que el *Autor*, sentado en su trono, en un *«día eterno»* ve la representación; otro, temporal, en el cual la representación se desenvuelve en este mundo. El *Autor* sólo interviene en dos momentos: al comienzo, para indicar su posición intemporal y advertir a los hombres que lo que hagan es visto desde el cielo; y después para advertir que «pudiera enmendar los yerros», pero que desea que hagan libremente su papel, aunque con la advertencia divina de la *Ley*. El desarrollo temporal de la acción en este mundo va reuniendo a los personajes, desde la alabanza de la *Discreción*, que reproduce un pasaje del *Libro de Daniel*, hasta que los personajes mueren y el *Mundo* les va privando de sus atributos. La *Ley de Gracia* hace de apuntador. Y la representación va reuniendo a los personajes, que aparecen en contraste: la *Discreción* y la *Hermosura*; el *Rico*, el *Labrador* y el *Pobre;* de modo que al final todos aparecen reunidos en escena, salvo el *Niño*, que ha muerto apenas nacido. Esta comunicación es esencial a la existencia del hombre en el mundo, como dice la *Hermosura*, y cada uno trata de decir aquello que está en su imaginación. Conforme lo va diciendo se oye la *Voz*, que indica el final de cada papel, en este orden: El *Rey*, la *Hermosura*, el *Labrador*, el *Pobre*, el *Rico* y la *Discreción*, simbolizando ésta la *Religión*, como lo más permanente en el mundo.

*Cuarto momento*

El *Mundo* da por terminada la representación y el globo celeste se cierra, pues Dios ya ha visto las acciones de los hombres. Ahora el *Mundo* ha de quitarles todo lo que les dio: «Polvo salgan de mí, pues polvo entraron.» Le pregunta a cada uno lo que ha hecho y le va arrebatando sus atributos. Sólo al *Niño* y al *Pobre* no les puede quitar nada. Tampoco puede arrebatarle a la *Discreción* sus buenas obras, pues éstas son «la fama vividora», como dijo Calderón en otro lugar, y como también se dice en el segundo monólogo de Segismundo en la comedia *La vida es sueño*. La escena está escrita en octavas reales. El último verso de la escena dice: «Si cuna os recibí, tumba os despido», que por su estructura trae a la memoria el verso de Quintana en su *Oda a Trafalgar*: «Inglés te aborrecí, héroe te admiro», aunque la relación sea puramente formal. En cambio, la escena se relaciona, según se ha notado, con las *Danzas de la muerte* medievales.

*Quinto momento*

Ya los personajes, fuera de la vida, no guardan entre sí la misma relación. Tratan de buscar aquella «cena» que prometió el *Autor* a los que hubieran realizado bien sus papeles. Este es el momento eucarístico del auto. Se descubre otra vez el globo celeste con el Cáliz y la Hostia, y el *Autor* sentado en su trono. Van directamente a gozar de la gloria la *Discreción*, es decir la religiosa, y el *Pobre;* quedan en el Purgatorio el *Rey* y el *Labrador*, pero así como el *Rey* sostuvo a la *Religión* una vez que iba a caer, ésta, en la figura de la *Discreción*, le tiende la mano y le alza a la Gloria (se trata de un símbolo de la monarquía católica, que debe sostener la *Religión* en este mundo); el *Niño* queda en el limbo, y sólo el *Rico* sufre la condenación eterna. Se muestran así las Postrimerías, y se termina cantando el *Tamtum ergo*. Todavía figuran cuatro versos más en los que el *Mundo* pide perdón al público por las faltas de la representación, como era usual. Esta parte está escrita en romance.

*Fuentes*

El tema de la vida como teatro es antiquísimo. Aparece sobre todo en los pitagóricos, estoicos y neoplatónicos.

En la *Tabla de Cebes* la vida es presentada en un cuadro pintado; el argumento de la obra consiste en explicar el sentido de las figuras de esta pintura.

Pero aún se puede encontrar un motivo anterior, atribuido al mismo Pitágoras. Sosícrates, citado por Diógenes Laercio, dice que Pitágoras comparaba la vida humana a unas fiestas, «pues así como unos vienen a ellas a luchar, otros a comprar o vender, y otros, que son los mejores, a ver; también en la vida unos nacen esclavos de la gloria, otros cazadores de los haberes, y otros filósofos, amantes de la virtud».

El tema se encuentra, como hemos dicho, en los estoicos. He aquí un texto de Epicteto que corresponde literalmente al modo de entenderlo Calderón:

25

«Recuerda que eres el actor de un drama tal como lo quiere el amo: corto si lo quiere corto, largo si lo quiere largo; si quiere que hagas el papel de mendigo, de cojo, de soberano o de particular, muestra capacidad para representar bien tu papel; te corresponde interpretar bien el personaje que te ha sido confiado, pero el escogerlo le corresponde a otro.»

En Séneca se encuentra el tema en las *Epístolas a Lucilio*. Pasó a los neoplatónicos, encontrándose varios pasajes de Plotino en que se glosa. Puede verse, por ejemplo, en las *Eneadas* varios de estos pasajes (II, III; XVI, XVII). La vuelta a los autores antiguos renovó el tema en el Renacimiento. Valbuena cree que el antecedente más directo, o al menos, si fuese posterior, muy directamente emparentado con el desarrollo calderoniano, se encuentra en la traducción en verso de Quevedo *(Epicteto y Focílides en español con consonantes*, Madrid, 1635), que dice así:

No olvides que es comedia nuestra vida
y teatro de farsa el mundo todo
que muda el aparato por instantes,
y que todos en él somos farsantes;
acuérdate, que Dios, de esta comedia
de argumento tan grande y tan difuso,
es autor que la hizo y la compuso.
    Al que dio papel breve,
sólo le tocó hacerle como debe;
y al que se le dió largo,
sólo el hacerle bien dejó a su cargo.
    Si te mandó que hicieses
la persona de un pobre o un esclavo,
de un rey o de un tullido,
haz el papel que Dios te ha repartido;
pues sólo está a tu cuenta
hacer con perfección el personaje,
en obras, en acciones, en lenguaje;
que al repartir los dichos y papeles,
la representación o mucha o poca
sólo al autor de la comedia toca.

*Valoración de la obra*

Después de lo dicho sobre el carácter barroco de la obra calderoniana, y sobre las características de los autos sacramentales, puede decirse que la obra queda encajada en su tiempo y en la producción del autor.

Por el carácter universal del tema, ha tenido mucho éxito, así como también porque el aspecto moral es mas asequible que el puramente filosófico y teológico de otros autos. La manera de presentarlo lo enlazaba, además, con la tradición medieval de las *Danzas de la Muerte*. Por esta razón, es acaso uno de los autos más representados, aunque, como toda la obra calderoniana, tuvo un eclipse durante la época neoclásica. Fueron, como es sabido, los románticos alemanes los que volvieron a Calderón. En Inglaterra, Trench tradujo *La vida es sueño* y *El gran teatro del mundo*, y la obra es estudiada por Parker más modernamente. Parker ha editado también otro auto calderoniano del mismo tema: *No hay más fortuna que Dios*, de 1653, con una excelente introducción y un apéndice en el que se hace un interesante estudio de la figura de la *Discreción*. En este auto es la *Justicia Distributiva* la que reparte los papeles y sus atributos, pero de forma que los hombres, en vez de atribuirlo a la Providencia, creen que se debe al azaroso capricho de la falsa deidad de la Fortuna. El auto, como de fecha posterior, aparece más elaborado, sobre todo en el juego escénico de la parte central, por lo que Parker lo juzga superior a *El gran teatro del mundo*. Pero Valbuena no opina así: encuentra en el auto primero más frescura e intensidad. Salvando los aciertos del auto de 1653, cree que casi desaparece en él la idea central del mundo como representación, el doble plano de lo natural y lo sobrenatural con la muerte y juicio de los personajes. Se acentúa el tema moral del desengaño, producido al morir la Hermosura (único personaje que aquí muere), de suerte que basta para la corrección de los demás personajes, y se convierte en el tema central. Queremos destacar la especial representación de *El gran teatro del mundo*, en Einsiedeln (Suiza) que se realizó en el atrio de su gran abadía benedictina, el día 24 de junio de 1950, y continuó representándose todo el verano, con gran novedad en su escenificación, pues cada personaje se hizo genérico, multiplicándose en muchos individuos, hasta el punto de intervenir en la representación hasta quinientos actores. Se utilizó la traducción de J. von Eichendorf y dirigió la escena Oscar Eberle. Se introdujeron algunos cambios, como el llamar al *Autor*, Jefe del Mundo. (La referencia de esta representación fue dada por Eugenio de Nora, en *Correo Literario*, núm. 5.)

El auto tiene especial valor por la universalidad del tema apuntada, por la ordenada estructura de sus partes, aunque sin llegar a la profunda trabazón de elementos de los máximos autos calderonianos; por la belleza de la versificación en algunos pasajes, contando con el anticipo barroco y el gusto culterano y conceptista de la época. Alcanzan una verdadera precisión de lenguaje las décimas del segundo momento, la patética trasposición de los lamentos de Job puestos en boca del *Pobre*, en el tercer momento, y algunas de las certeras frases del *Mundo*, a lo largo de la representación.

La enseñanza moral está completamente enmarcada dentro de la doctrina católica de las Postrimerías y de la conclusión tridentina de que para salvarse se necesitan juntamente la fe y las obras.

*Bibliografía*

# AUTO SACRAMENTAL,
## ALEGORICO,
# EL GRAN TEATRO
# DEL MVNDO.

### DE DON PEDRO CALDERON DE LA
Barca.

## PERSONAS.

| | | | |
|---|---|---|---|
| *El Autor.* | *La Discrecion.* | *El Rico.* | *Vn Niño.* |
| *El Mundo.* | *La Ley de Gracia.* | *El Labrador.* | *Vna Voz.* |
| *El Rey.* | *La Hermosura.* | *El Pobre.* | *Acompañamiento* |

*Sale el Autor con Manto de Estrellas, y Potencias en el Sombrero.*

*Autor.* Hermosa compostura
de essa varia inferior Arquitectura,
que entre sombras, y lexos,
à esta Celeste vsurpas los reflexos.
Quando con flores bellas
el numero compite à sus Estrellas,
siendo con resplandores
humano Cielo de caducas flores.
Campaña de Elementos,
con Montes, Rayos, Pielagos, y Vientos:
con Vientos, donde graves
te surcan los baxeles de las aves,
con Pielagos, y Mares, donde à vezes
te buelan las esquadras de los pezes:
con Rayos, donde ciego
te ilumina la colera del fuego.

Con

Se indica sólo la que se refiere especialmente a los autos sacramentales.

1. *De colecciones de autos*

a) *Ediciones*. Aparte de la realizada en vida de Calderón, deben destacarse las siguientes:

PANDO Y MIER, Pedro, *Autos Sacramentales, alegóricos e historiales del insigne poeta español don Pedro Calderón de la Barca*. Obras póstumas, Madrid, 1717. (Figura en vol. I.)

FERNÁNDEZ Y APONTES, J., *Autos sacramentales, alegóricos e historiales del Phénix de los poetas, el español don Pedro Calderón de la Barca*. Obras póstumas. Seis volúmenes. Madrid, 1756-1759. (Figura en el vol. II.)

BIBLIOTECA DE AUTORES ESPAÑOLES, *Autos sacramentales, desde su origen hasta fines del siglo XVII*. Colección escogida, dispuesta y ordenada por Eduardo González Pedroso, tomo LVIII, Madrid, Rivadeneyra, 1865. (Figuran catorce autos de Calderón, págs. 295-550.)

VALBUENA PRAT, Ángel, *Autos sacramentales*, I. *La cena del rey Baltasar, El gran teatro del mundo, La vida es sueño*. Madrid, Clásicos Castellanos, 1926.

— *Autos sacramentales*, II. *El pleito matrimonial del Cuerpo y el Alma, Los encantos de la Culpa, Tu prójimo como a ti*. Madrid, Clásicos Castellanos, 1927 (4.ª ed., 1958).

CALDERÓN DE LA BARCA, Pedro, *Obras completas*, III. *Autos sacramentales*. Recopilación, prólogo y notas de Ángel Valbuena Prat. Madrid, Aguilar, 1952. (Edición completa.)

GONZÁLEZ RUIZ, N., *Piezas maestras del teatro teológico español*. I. *Autos sacramentales*. Selección, prólogo e introducción de N. González Ruiz. Madrid, B.A.C., 1953. (Se incluyen quince autos de Calderón, págs. 299-792.)

2. *De autos sueltos:*

WALBERG, E., «Autos sacramentales de *Las Órdenes milita-res*». *Bulletin Hispanique*, V (1903), págs. 383-408; y VI (1904), págs. 44-66, 94-113, 235-258.

PARKER, A. S., *Don Pedro Calderón de la Barca. «No hay más fortuna que Dios».* Edited with introduction and notes by A. S. Parker. Manchester University Press, 1949.

OSMA, José M.ª de, «*El verdadero dios Pan*». *Auto sacramental alegórico de don Pedro Calderón de la Barca.* Texto y estudio por José M.ª de Osma. Lawrence, University of Kansas Press, 1949.

FRUTOS, Eugenio, *La hidalga del valle. A María, el corazón. Dos autos sacramentales marianos.* Edición, prólogo y notas de Eugenio Frutos. Madrid, Aguilar, 1963.

b) *Estudios.*

1. De carácter general sobre Calderón y sus autos.

FRUTOS, Eugenio, *Calderón de la Barca. (Estudios y antología).* Clásicos Labor, IX. Barcelona, 1949.

— *La filosofía de Calderón en sus autos sacramentales* (tesis doctoral). Institución «Fernando el Católico», Zaragoza, 1952.

KASPER, W., «Calderons Metaphysik nach den autos sacramentales», en *Philosophisches Jahrbuch der Görres-Gesellschaft*, vol. XXX (1917), págs. 416-435.

LATORRE BADILLO, M., «Representación de los autos sacramentales én el período de su mayor florecimiento», en *Revista de Archivos* (3.ª época), XXV (1911), págs. 189-211 y 342-367; y XXVI (1912), págs. 72-89 y 236-262.

McGASRY, M. F. de Sales, *The allegorical and metaphorical language in the autos sacramentales of Calderón.* Washington, 1937.

MARGRAFF, Na, *Der Mensch und sein Seelenleben in dem autos sacramentales des D. Pedro Calderón de la Barca.* Bonn, 1912.

PARKER, Alexander A., *The allegorical drama of Calderón. An introduction to the autos sacramentales.* Oxford y Londres, The Dolphin Book, 1943.

SCHWARZ, Egon, *Hofmansthal und Calderón*. Morton et c. La Haya, 1962.

SHERGOLD, N. D. y VAREY, L. E., *Los autos sacramentales en Madrid en la época de Calderón (1637-1681)*. *Estudios y documentos*. Madrid, C. Edhigar, 1961.

SLOMAN, Albert E., *The dramatic Craftsmanship of Calderón*. Oxford, The Dolphin Book, 1958.

THOMAS, Lucien-Paul, «Le jeu de scêne et l'architecture des idées dans le théatre allegorique de Calderón», en *Homenaje a Menéndez Pidal*, 1925.

VALBUENA, PRAT, A., *Calderón*. *Su personalidad, su arte dramático, su estilo y sus obras*. Barcelona, Ed. Juventud, 1941.

— «Los autos sacramentales de Calderón, su clasificación y su análisis», en *Revue Hispanique*, 1924.

2. Sobre *El gran teatro del mundo*.

CIROT, G., «El gran teatro del mundo», en *Bulletin Hispanique*, XLIII (1941), págs. 290-305.

RITTER, Federica, «El gran teatro del mundo. La historia de una metáfora», en *Panorama*, II, Washington, 1953, págs., 81-97.

VALBUENA PRAT, A., «Una representación de "El gran teatro del mundo". La fuente de este auto», en *Revista de Bibliotecas, Archivos y Museos del Ayuntamiento de Madrid*, V (1928), págs. 79-82.

VILANOVA, A., «El tema de "El gran teatro del mundo"», en *Boletín de la Real Academia de Buenas Letras*, XXIII, Barcelona, 1950, f. 2.º, págs. 153-155.

*Cronología*
*de*
*Calderón de la Barca*

CRONOLOGÍA

| ACONTECIMIENTOS POLÍTICOS | VIDA DE CALDERÓN | AÑOS Y REINADOS | OBRAS PRINCIPALES DE CALDERÓN | ACONTECIMIENTOS LITERARIOS Y CULTURALES |
|---|---|---|---|---|
| | Nace en Madrid (17-I) | 1600 | | *Gracián (1601) |
| | | 1605 | | Quijote, I (1605)<br>*Corneille (1605) |
| Expulsión de los moriscos (1609) | | 1610 | | Lope, Arte nuevo (1609) |
| Asesinato en 1610, de Enrique IV de Francia | Estudios en Alcalá (1614)<br>Muere su padre (1615) | 1615 | | +El Greco (1614)<br>Quijote, II (1615)<br>+Cervantes, +Shakespeare (1616)<br>*Moreto (1618) |
| Exploración del Cabo de Hornos (1617) | | 1620 | | |
| | Estudios en Salamanca (1615-1620)<br>Estancia en Flandes? (1623-1625) | 1625 | Amor, honor y poder (1623)<br>El sitio de Breda (1626)<br>El príncipe constante (1628)<br>Casa con dos puertas (1629)<br>La dama duende (1629) | *Valdés Leal. *Molière (1622)<br>+Pascal (1623) |
| | | 1630 | La devoción de la Cruz (1633)<br>...de Belmez (1634) | Quevedo. El Buscón (1626)<br>+Góngora.<br>*B. L. Argensola (1631)<br>La Dorotea (1632) |

FELIPE III (1598 - 1621)

(...665)

| | Obras | Año | Reinado | Biografía | Historia | Contemporáneos |
|---|---|---|---|---|---|---|
| | | | | Muere el Conde-Duque (1645) | | + Quevedo (1645) |
| | | | | | Segundo matrimonio del rey (1648) | * Leibniz (1645) |
| | | | | | Paz de Westfalia (1648) | * Tirso (1648) |
| | | | | | | + Montañés (1649) |
| | *El gran teatro del mundo* (entre 1635 y 1645) | **1645** | | Ingreso en la Orden Tercera (1650) | | |
| | *La segunda esposa* (1648) | | | | | |
| | *Los encantos de la culpa* (1649) | **1650** | F E L I P E | Sacerdote (1651) | | + Descartes. *Churriguera (1650) |
| | | | | Capellán de Reyes Nuevos, Toledo (1653) | | + Ribera (1652) |
| | *La hija del aire* (1653) | **1655** | | | | |
| | *No hay más Fortuna que Dios* (1652-53) | | | | | + Gracián (1658) |
| | *El Laurel de Apolo* (1657) | | | | Tratado de los Pirineos (1659) | |
| | *El diablo mudo* (1660) | **1660** | | Regresa a Madrid, Capellán de honor del rey (1663) | | + Velázquez (1660) |
| | *Las órdenes militares* (1662) | | | | | + Pascal (1662) |
| | *A María, el corazón* (1664) | | | | | |
| | *El gran príncipe de Fez* (1669) | **1665** | | Capellán de honor de Presbíteros de Madrid (1666) | Francia ocupa los Países Bajos (1667) | + Moreto (1669) |
| | | | C A R L O S   II (1665 - 1709) | | Independencia de Portugal (1668) | |
| | *El Santo rey D. Fernando* (1671) | **1670** | | | | + Molière (1673) |
| | *La vida es sueño* (auto, 1673) | | | | | + Miltón (1674) |
| | *El jardín de Falerina* (1675) | **1675** | | Publicación 1er volumen de Autos (1677) | Paz de Nimega (1678) | |
| | *El segundo Escipión* (1677) | | | | | |
| | *Andrómeda y Perseo* (1680) | **1680** | | | | |
| | *La divina Filotea* (1681) | **1681** | | Muere en Madrid (25-V-1681) | | |

NOTA.—El signo * antepuesto a un nombre significa nacimiento. El signo + significa muerte.

# El gran teatro del mundo

## PERSONAJES

| | |
|---|---|
| EL AUTOR | EL RICO |
| EL MUNDO | EL LABRADOR |
| EL REY | EL POBRE |
| LA DISCRECIÓN | UN NIÑO |
| LA LEY DE GRACIA | UNA VOZ |
| LA HERMOSURA | ACOMPAÑAMIENTO |

*Sale el* AUTOR *con manto de estrellas y potencias*[1] *en el sombrero*

AUTOR      Hermosa compostura
de esa varia inferior arquitectura,
que entre sombras y lejos[2]
a esta celeste usurpas los reflejos,
cuando con flores bellas          5
el número compite a sus estrellas,
siendo con resplandores
humano cielo de caducas flores.
      Campaña de elementos,
con montes, rayos, piélagos y vientos;    10
con vientos, donde graves
te surcan los bajeles de las aves;

---

[1] *potencias*, rayos o varillas de metal que se colocan, por lo general, en tres haces de tres rayos, en la cabeza de Dios.

[2] *lejos*, las partes más alejadas de una pintura.

con piélagos y mares donde a veces
te vuelan las escuadras de los peces;
con rayos donde ciego                                    15
te ilumina la cólera del fuego;
con montes donde dueños absolutos
te pasean los hombres y los brutos:
siendo, en continua guerra,
monstruo de fuego y aire, de agua y       20
    Tú, que siempre diverso,    [tierra.
la fábrica feliz del universo
eres[3], primer prodigio sin segundo,
y por llamarte de una vez, tú el Mundo,
que naces como el Fénix[4] y en su fama   25
de tus mismas cenizas...


*Sale el* MUNDO *por diversa puerta*

MUNDO                                              ¿Quién me llama,
que desde el duro centro
de aqueste globo que me esconde dentro
alas viste veloces?[5]
¿Quién me saca de mí, quién me da     30
                  [voces?
AUTOR                               Es tu Autor Soberano.
De mi voz un suspiro, de mi mano
un rasgo es quien[6] te informa

---

[3] La «fábrica del universo» es el modo renacentista y barroco
de concebir la estructura del universo. Los niños conciben también
los elementos del mismo —sol, nubes, etc.— como 'fabricados'.

[4] El Fénix es un ave legendaria que, al sentirse morir, construía
un nido de leños olorosos, y batiendo sus alas al sol, los
incendiaba, surgiendo de las cenizas un ave nueva.

[5] El sentido es: «¿Quién me llama, que [me] viste alas veloces [para obligarme a salir] desde el duro centro de este globo
que me esconde?»

[6] En la actualidad, el antecedente de *quien* sólo puede ser un
nombre de persona; en la época de Calderón, podía ser también un
nombre de cosa *(suspiro, rasgo)*.

y a su[7] oscura materia le de forma[8].

MUNDO   Pues ¿qué es lo que me mandas?¿Qué me    35
                      [quieres?

AUTOR   Pues soy tu Autor, y tú mi hechura eres,
      hoy, de un concepto mío,
      la ejecución a tus aplausos fío.
        Una fiesta hacer quiero
      a mi mismo poder, si considero    40
      que sólo a ostentación de mi grandeza
      fiestas hará la gran naturaleza;
      y como siempre ha sido
      lo que más ha alegrado y divertido
      la representación bien aplaudida,    45
      y es representación la humana vida,
      una comedia sea
      la que hoy el cielo en tu teatro vea.
      Si soy Autor[9] y si la fiesta es mía,
      por fuerza la ha de hacer mi compañía.    50
      Y pues que yo escogí de los primeros
      los hombres, y ellos son mis compañeros[10],
      ellos, en el *teatro*
      *del mundo*, que contiene partes cuatro[11],
      con estilo oportuno    55
      han de representar. Yo a cada uno
      el papel le daré que le convenga,
      y porque en fiesta igual su parte tenga

---

  [7] Debe de ser, según Valbuena, *a tu oscura*.

  [8] Se recoge la idea aristotélico-escolástica de que todo ser está compuesto de materia y forma. En el mundo esta materia anterior es el *caos*, pero esta materia informe es también de creación divina.

  [9] Calderón juega en estos dos versos, con dos acepciones del vocablo *autor*, que, en el XVII, aparte su significado ordinario, designaba también al empresario de una compañía teatral.

  [10] Los versos 51-52 significan que el Autor —esto es, Dios— escogió como «compañía» a los hombres, pues éstos, al tener un alma hecha a imagen y semejanza de Dios, son, por esta semejanza, los únicos que pueden hacerle compañía.

  [11] Se refiere a las cuatro partes del mundo, que entonces se contaban: Europa, Asia, África y América.

el hermoso aparato
de apariencias[12], de trajes el ornato,                60
hoy prevenido quiero
que, alegre, liberal y lisonjero,
fabriques apariencias
que de dudas se pasen a evidencias[13].
Seremos, yo el Autor, en un instante,         65
tú el teatro, y el hombre el recitante.

MUNDO    Autor generoso mío,
a cuyo poder, a cuyo
acento obedece todo,
yo, *el gran teatro del mundo*,                       70
para que en mí representen
los hombres, y cada uno
halle en mí la prevención
que le impone el papel suyo,
como parte obedencial[14],                              75
—que solamente ejecuto
lo que ordenas, que aunque es mía
la obra el milagro es tuyo—,
primeramente porque es
de más contento y más gusto                         80
no ver el tablado antes
que esté el personaje a punto,
lo tendré de un negro velo
todo cubierto y oculto,
que sea un caos donde estén                          85
los materiales confusos[15].
Correráse aquella niebla
y, huyendo el vapor oscuro,

---

[12] *apariencias*, 'decoraciones de los teatros', en aquella época.

[13] Es decir, que, partiendo del caos primitivo, pasen a formas claras y definidas.

[14] *parte obedencial* es la que cumple su voluntad sin escudriñar sus últimos motivos. El Mundo obedece a Dios sin alcanzar sus designios.

[15] Calderón identifica el *caos* de los poetas con la *nada* de los profetas, como puede verse en *El año Santo de Roma* (Pando, II, página 174).

42

para alumbrar el teatro
(porque adonde luz no hubo                           90
no hubo fiesta), alumbrarán
dos luminares, el uno
divino farol del día[16],
y de la noche nocturno
farol el otro, a quien ardan                         95
mil luminosos carbunclos[17],
que en la frente de la noche
den vividores influjos.
En la primera jornada,
sencillo y cándido nudo                             100
de la gran ley natural
allá en los primeros lustros,
aparecerá un jardín[18]
con bellísimos dibujos,
ingeniosas perspectivas,                            105
que se dude cómo supo
la naturaleza hacer
tan gran lienzo sin estudio.
Las flores mal despuntadas
de sus rosados capullos                             110
saldrán la primera vez
a ver el Alba en confuso.
Los árboles estarán
llenos de sabrosos frutos,
si ya el áspid de la envidia                        115
no da veneno en alguno[19].

---

[16] El Mundo está recordando su propio origen. Alude ahora a
la creación del sol, la luna y las estrellas.

[17] *carbunclo*, piedra preciosa que tomó nombre del carbón en-
cendido, por tener color de fuego.

[18] Esto es, el Paraíso Terrenal. Calderón divide la Creación
en tres actos, como las comedias: ley natural, ley escrita y ley
de gracia.

[19] Se refiere al árbol de la Ciencia del Bien y del Mal, en
cuyo fruto la envidia del demonio, en figura de serpiente, puso
el veneno que causó el pecado original.

Quebraránse mil cristales
en guijas, dando su curso
para que el Alba los llore
mil aljófares[20] menudos.                           120
Y para que más campee
este humano cielo juzgo
que estará bien engastado
de varios campos incultos.
Donde fueren menester                                125
montes y valles profundos
habrá valles, habrá montes;
y ríos, sagaz y astuto,
haciendo zanjas la tierra
llevaré por sus conductos,                           130
brazos de mar desatados
que corran por varios rumbos.
Vista la primera escena
sin edificio ninguno,
en un instante verás                                 135
cómo repúblicas fundo,
cómo ciudades fabrico,
cómo alcázares descubro.
Y cuando solicitados
montes fatiguen algunos                              140
a la tierra con el peso
y a los aires con el bulto,
mudaré todo el teatro
porque todo, mal seguro,
se verá cubierto de agua                             145
a la saña de un diluvio[21].
En medio de tanto golfo,
a los flujos y reflujos
de ondas y nubes, vendrá
haciendo ignorados surcos                            150

---

[20] *aljófar*, perla pequeña de figura irregular.
[21] El Diluvio Universal, con el que termina la primera jornada de la Creación.

por las aguas un bajel[22]
que fluctuando seguro
traerá su vientre preñado
de hombres, de aves y de brutos.
A la seña que, en el cielo,                            155
de paz hará un arco rubio
de tres colores, pajizo,
tornasolado y purpúreo[23],
todo el gremio de las ondas
obediente a su estatuto                                160
hará lugar[24], observando
leyes que primero tuvo,
a la cerviz de la tierra
que, sacudiéndose el yugo,
descollará su semblante,                               165
bien que macilento y mustio.
Acabado el primer acto,
luego empezará el segundo,
*ley escrita* en que poner
más apariencias procuro,                               170
pues para pasar a ella
pasarán, con pies enjutos,
los hebreos desde Egipto
los cristales del mar rubio[25];
amontonadas las aguas,                                 175
verá el sol que le descubro
los más ignorados senos
que ha mirado en tantos lustros.
Con dos columnas de fuego
ya me parece que alumbro                               180
el desierto, antes de entrar

---

[22] Así llama al Arca de Noé.
[23] Alude al Arco Iris. Menciona siempre sólo estos tres colores:
amarillo, azul y rojo. «Tornasol» es una sustancia colorante azul
que con los ácidos se vuelve roja.
[24] Es decir, detendrá su desorden, y la tierra y los elementos
se regirán por las leyes naturales.
[25] Se refiere al Mar Rojo. *Rubeus*, en latín, significa «rojo».

en el prometido fruto.
Para salir con la ley,
Moisés a un monte robusto[26]
le arrebatará una nube                    185
en el rapto[27] vuelo suyo.
Y esta segunda jornada
fin tendrá en un furibundo
eclipse, en que todo el Sol
se ha de ver casi difunto[28].            190
Al último parasismo
se verá el orbe cerúleo
titubear, borrando tantos
paralelos y coluros[29].
Sacudiránse los montes                    195
y delirarán los muros,
dejando en pálidas ruinas
tanto escándalo caduco.
Y empezará la tercera
jornada, donde hay anuncios               200
que habrá mayores portentos,
por ser los milagros muchos
de la *ley de gracia*, en que
ociosamente discurro.
Con lo cual en tres jornadas,             205
tres leyes y un estatuto,
los hombres dividirán
las tres edades del mundo;
hasta que, al último paso,

---

[26] Alude al Sinaí. Y las dos columnas son las que guiaron al pueblo hebreo en su peregrinación por el desierto.

[27] *en el rapto vuelo suyo*, en su *raudo* vuelo. También se llama *movimiento rapto* al de los astros, de Levante a Poniente. *(Dic. de Autoridades.)*

[28] Se refiere al eclipse del sol y terremoto en la muerte de Jesús.

[29] *coluros*, cada uno de los círculos máximos de la esfera celeste que pasan por los polos y cortan a la eclíptica en los puntos de los equinoccios y solsticios.

todo el tablado, que tuvo                    210
tan grande aparato en sí,
una llama, un rayo puro
cubrirá porque no falte
fuego en la fiesta...[30] ¿Qué mucho
que aquí, balbuciente el labio,              215
quede absorto, quede mudo?
De pensarlo me estremezco,
de imaginarlo me turbo,
de repetirlo me asombro,
de acordarlo me consumo.                     220
Mas ¡dilátese esta escena,
este paso horrible y duro,
tanto, que nunca le vean
todos los siglos futuros.
Prodigios verán los hombres                  225
en tres actos, y ninguno
a su representación
faltará por mí en el uso.
Y pues que ya he prevenido
cuanto[31] al teatro, presumo                230
que está todo ahora; cuanto
al vestuario, no dudo
que allá en tu mente le tienes,
pues allá en tu mente juntos,
antes de nacer, los hombres                  235
tienen los aplausos suyos.
Y para que, desde Ti,
a representar al mundo
salgan y vuelvan a entrarse,
ya previno mi discurso                        240
dos puertas: *la una es la cuna*
*y la otra es el sepulcro.*
    Y para que no les falten
las galas y adornos juntos,

---

[30] Aquí describe el fin del mundo.
[31] *cuanto*, en este verso y en el siguiente, 'en cuanto'.

para vestir los papeles          245
tendré prevenido a punto
al que hubiere de hacer rey,
púrpura y laurel augusto;
al valiente capitán,
armas, valores y triunfos;          250
al que ha de hacer el ministro,
libros, escuelas y estudios.
Al religioso, obediencias;
al facineroso, insultos;
al noble le daré honras,          255
y libertades al vulgo.
Al labrador, que a la tierra
ha de hacer fértil a puro
afán, por culpa de un necio [32],
le daré instrumentos rudos.          260
A la que hubiere de hacer
la dama, le daré sumo
adorno en las perfecciones,
dulce veneno de muchos [33].
Sólo no vestiré al pobre          265
porque es papel de desnudo,
porque ninguno después
se queje de que no tuvo
para hacer bien su papel
todo el adorno que pudo,          270
pues el que bien no lo hiciere
será por defecto suyo,
no mío. Y pues que ya tengo
todo el aparato junto,
venid, mortales, venid          275
a adornaros cada uno
para que representéis
en el *teatro del mundo*. *(Vase.)*

---

[32] Adán, condenado a ganar el pan con esfuerzo.
[33] Quiere decir que las perfecciones de la mujer serán ocasión de tentación y pecados en los hombres.

| AUTOR | Mortales que aún no vivís | |
|---|---|---|
| | y ya os llamo yo mortales, | 280 |
| | pues en mi presencia iguales | |
| | antes de ser asistís[34]; | |
| | aunque mis voces no oís, | |
| | venid a aquestos vergeles, | |
| | que ceñido de laureles, | 285 |
| | cedros y palma os espero, | |
| | porque aquí entre todos quiero | |
| | repartir estos papeles. | |

*Salen el* RICO, *el* REY, *el* LABRADOR, *el* POBRE *y la* HERMOSURA, *la* DISCRECIÓN *y un* NIÑO.

| REY | Ya estamos a tu obediencia, | |
|---|---|---|
| | Autor nuestro, que no ha sido | 290 |
| | necesario haber nacido | |
| | para estar en tu presencia. | |
| | Alma, sentido, potencia, | |
| | vida, ni razón tenemos[35]; | |
| | todos informes nos vemos; | 295 |
| | polvo somos de tus pies. | |
| | Sopla aqueste[36] polvo, pues, | |
| | para que representemos. | |
| HERM. | Sólo en tu concepto[37] estamos, | |
| | ni animamos[38] ni vivimos, | 300 |
| | ni tocamos ni sentimos | |
| | ni del bien ni el mal gozamos; | |

---

[34] Los seres están eternamente en la mente divina, aunque su existencia temporal comience en un momento dado. Por eso Dios tiene a los hombres «en presencia» antes de existir y sabe ya que han de ser mortales.

[35] Nótese que la conjunción 'ni' está usada sólo con el último sustantivo, giro que hoy no se emplea.

[36] *aqueste*, por 'este', es un arcaísmo.

[37] En el 'concepto' divino están todas las esencias, y, por tanto, también las de los seres que no existen todavía.

[38] *ni animamos*, es decir, 'no tenemos aún alma'.

pero, si hacia el mundo vamos
todos a representar,
los papeles puedes dar,                                    305
pues en aquesta ocasión
no tenemos elección
para haberlos de tomar[39].

LABRAD.    Autor mío soberano
a quien conozco desde hoy,                                 310
a tu mandamiento estoy
como hechura de tu mano,
y pues Tú sabes, y es llano
porque en Dios no hay ignorar,
qué papel me puedes dar,                                   315
si yo errare este papel,
no me podré quejar de él:
de mí me podré quejar.

AUTOR    Ya sé que si para ser[40]
el hombre elección tuviera,                                320
ninguno el papel quisiera
del sentir y padecer;
todos quisieran hacer
el de mandar y regir,
sin mirar, sin advertir                                    325
que en acto tan singular,
aquello es representar,
aunque piensen que es vivir.

Pero yo, Autor soberano,
sé bien qué papel hará                                     330
mejor cada uno; así va
repartiéndolos mi mano.
(Da su papel a cada uno.)
Haz tú el Rey.

---

[39] No tienen elección, porque aún no existen ni están dotados
de facultades. Para elegir se neceista estar dotado de voluntad.
No se elige lo que cada uno representa en el mundo, sino el modo
de representarlo. Esto corresponde a una sociedad muy rígida, en
la que no se cambia de estado.

[40] *para ser*, esto es, 'para existir'.

| | | |
|---|---|---|
| REY | Honores gano. | |
| AUTOR | La dama, que es la hermosura | |
| | humana, tú. | |
| HERM. | ¡Qué ventura! | 335 |
| AUTOR | Haz tú al rico, al poderoso. | |
| RICO | En fin nazco venturoso | |
| | a ver del sol la luz pura. | |
| AUTOR | Tú has de hacer al labrador. | |
| LABRAD. | ¿Es oficio o beneficio? | 340 |
| AUTOR | Es un trabajoso oficio. | |
| LABRAD. | Seré mal trabajador. | |

LABRAD.
Por vuestra vida, Señor,
que aunque soy hijo de Adán,
que no me deis este afán,                                      345
aunque me deis posesiones,
porque tengo presunciones
que he de ser grande holgazán.
    De mi natural infiero,
con ser tan nuevo, Señor,                                      350
que seré mal cavador
y seré peor quintero⁴⁰ᵇⁱˢ;
si aquí valiera un «no quiero»
dijérale, mas delante
de un autor tan elegante,                                      355
nada un «no quiero» remedia,
y así seré en la comedia
el peor representante.
    Como sois cuerdo, me dais
como el talento el oficio,                                     360
y así mi poco jüicio
sufrís y disimuláis;
nieve como lana dais;
justo sois, no hay que quejarme;
y pues que ya perdonarme                                       365
vuestro amor me muestra en él,

---

⁴⁰ ᵇⁱˢ *quintero*, el que tiene arrendada una quinta o casa de
campo.

|        | yo haré, Señor, mi papel |     |
|--------|------------------------------------------|-----|
|        | despacio por no cansarme[41]. |     |
| AUTOR  | Tú, la discreción harás. |     |
| DISCR. | Venturoso estado sigo, | 370 |
| AUTOR  | Haz tú al mísero, al mendigo. |     |
| POBRE  | ¿Aqueste papel me das? |     |
| AUTOR  | Tú, sin nacer morirás. |     |
| NIÑO   | Poco estudio el papel tiene. |     |
| AUTOR  | Así mi ciencia previene | 375 |
|        | que represente el que viva. |     |
|        | Justicia distributiva[42] |     |
|        | soy, y es lo que os conviene[43]. |     |
| POBRE  | Si yo puediera excusarme |     |
|        | deste[44] papel, me excusara, | 380 |
|        | cuando mi vida repara |     |
|        | en el que has querido darme; |     |
|        | y ya que no declararme |     |
|        | puedo, aunque atrevido quiera, |     |
|        | le tomo, mas considera, | 385 |
|        | ya que he de hacer el mendigo, |     |
|        | no, Señor, lo que te digo, |     |
|        | lo que decirte quisiera. |     |
|        | ¿Por qué tengo de hacer yo |     |
|        | el pobre en esta comedia? | 390 |
|        | ¿Para mí ha de ser tragedia, |     |
|        | y para los otros no? |     |
|        | ¿Cuando este papel me dio |     |
|        | tu mano, no me dio en él |     |
|        | igual alma a la de aquél | 395 |

---

[41] Todo este recitado del labrador muestra que hace el papel de «gracioso», que era casi obligado en nuestro teatro clásico. Llama *elegante* al autor en el sentido de «poseer gracia, nobleza y sencillez».

[42] La «justicia conmutativa» manda dar a cada uno lo suyo; la «distributiva», a cada uno según sus merecimientos.

[43] Valbuena, en su última edición opina que este verso debe decir: «Soy, y sé lo que os conviene», pues así lo pide el sentido.

[44] *deste*, contracción anticuada, por 'de este'.

que hace el rey? ¿Igual sentido?
¿Igual ser? Pues ¿por qué ha sido
tan desigual mi papel?
    Si de otro barro me hicieras,
si de otra alma me adornaras,          400
menos vida me fiaras,
menos sentidos me dieras;
ya parece que tuvieras
otro motivo, Señor;
pero parece rigor,          405
—perdona decir *cruel*—
el ser mejor su papel
no siendo su ser mejor.

AUTOR    En la representación
igualmente satisface          410
el que bien al pobre hace
con afecto, alma y acción
como el que hace al rey, y son
iguales éste y aquél
en acabando el papel.          415
Haz tú bien el tuyo y piensa
que para la recompensa
yo te igualaré con él.
    No porque pena te sobre,
siendo pobre, es en mi ley          420
mejor papel el del rey
si hace bien el suyo el pobre;
uno y otro de mí cobre
todo el salario después
que haya merecido, pues          425
en cualquier papel se gana,
*que toda la vida humana*
*representaciones es*.
    Y la comedia acabada
ha de cenar a mi lado          430
el que haya representado,
sin haber errado en nada,
su parte más acertada;

|  | allí, igualaré a los dos. | |
| HERM. | Pues, decidnos, Señor, Vos, | 435 |
|  | ¿cómo en lengua de la fama | |
|  | esta comedia se llama? | |
| AUTOR | *Obrar bien, que Dios es Dios.* | |
| REY | Mucho importa que no erremos | |
|  | comedia tan misteriosa. | 440 |
| RICO | Para eso es acción forzosa | |
|  | que primero lo ensayemos. | |
| DISCR. | ¿Cómo ensayarla podremos | |
|  | si nos llegamos a ver | |
|  | sin luz, sin alma y sin ser | 445 |
|  | antes de representar? | |
| POBRE | Pues ¿cómo sin ensayar | |
|  | la comedia se ha de hacer? | |
| LABRAD. | Del pobre apruebo la queja, | |
|  | que lo siento así, Señor, | 450 |
|  | (que son, pobre y labrador | |
|  | para par a la pareja). | |
|  | Aun una comedia vieja | |
|  | harta de representar | |
|  | si no se vuelve a ensayar | 455 |
|  | se yerra cuando se prueba. | |
|  | Si no se ensaya esta nueva, | |
|  | ¿cómo se podrá acertar? | |
| AUTOR | Llegando ahora a advertir | |
|  | que, siendo el cielo jüez, | 460 |
|  | se ha de acertar de una vez | |
|  | cuanto es nacer y morir | |
| HERM. | Pues ¿el entrar y el salir | |
|  | cómo lo hemos de saber | |
|  | ni a qué tiempo haya de ser? | 465 |
| AUTOR | Aun eso se ha de ignorar, | |
|  | y de una vez acertar | |
|  | cuanto es morir y nacer. | |
|  | Estad siempre prevenidos | |
|  | para acabar el papel; | 470 |

que yo os llamaré al fin de él.

POBRE  ¿Y si acaso los sentidos
tal vez se miran perdidos?

AUTOR  Para eso, común grey,
tendré, desde el pobre al rey,                    475
para enmendar al que errare
y enseñar al que ignorare,
con el apunto, a mi Ley[45];
ella a todos os dirá
lo que habéis de hacer, y así                     480
nunca os quejaréis de mí.
Albedrío[46] tenéis ya,
y pues prevenido está
el teatro, vos y vos
medid las distancias dos                          485
de la vida.

DISCR.                    ¿Qué esperamos?
¡Vamos al teatro!

TODOS                       ¡Vamos
a *obrar bien, que Dios es Dios!*


*Al irse[47] a entrar, sale el* MUNDO *y detiénelos*


MUNDO    Ya está todo prevenido
para que se represente                            490
esta comedia aparente
que hace el humano sentido.

REY  Púrpura y laurel te pido.

MUNDO  ¿Por qué púrpura y laurel?

---

45 La *Ley* hará de apuntador, para evitar que el hombre se equivoque. *Apunto* era el libreto que el apuntador tenía, para ir leyendo en alta voz la obra. La comedia de la vida no se puede ensayar, porque no se vive dos veces.

46 *albedrío* es la facultad humana de elegir libremente entre el bien y el mal.

47 *irse a entrar*, por 'ir a entrar', como se dice hoy corrientemente.

REY  Porque hago este papel.                                495

      *(Enséñale el papel, y toma la púrpura y*
      *corona, y vase.)*

MUNDO  Ya aquí prevenido está.

HERM.  A mí, matices me da
      de jazmín, rosa y clavel.

        Hoja a hoja y rayo a rayo
      se desaten a porfía                                      500
      todas las luces del día,
      todas las flores del Mayo;
      padezca mortal desmayo
      de envidia al mirarme el sol,
      y como a tanto arrebol                                  505
      el girasol ver desea,
      la flor de mis luces sea
      siendo el sol mi girasol.

MUNDO      Pues ¿cómo vienes tan vana
      a representar al mundo?                                 510

HERM.  En este papel me fundo.

MUNDO  ¿Quién es?

HERM.            La hermosura humana.

MUNDO  Cristal, carmín, nieve y grana
      pulan sombras y bosquejos
      que te afeiten[48] de reflejos.                         515

      *(Dale un ramillete.)*

HERM.  Pródiga estoy de colores.
      Servidme de alfombra, flores;
      sed, cristales, mis espejos. *(Vase.)*

RICO      Dadme riquezas a mí,
      dichas y felicidades,                                   520
      pues para prosperidades
      hoy vengo a vivir aquí.

MUNDO  Mis entrañas para ti
      a pedazos romperé;
      de mis senos sacaré                                     525
      toda la plata y el oro,

---

[48] *te afeiten*, es decir, 'te adornen y embellezcan'.

que en avariento tesoro
tanto encerrado oculté.
*(Dale joyas.)*

RICO    Soberbio y desvanecido
con tantas riquezas voy.    530

DISCR.  Yo, para mi papel, hoy,
tierra en que vivir te pido.

MUNDO  ¿Qué papel el tuyo ha sido?

DISCR.  La discreción estudiosa.

MUNDO  Discreción tan religiosa    535
tome ayuno y oración.
*(Dale cilicio y disciplina.)*

DISCR.  No fuera yo discreción
tomando de ti otra cosa. *(Vase.)*

MUNDO  ¿Cómo tú entras sin pedir
para el papel que has de hacer?    540

NIÑO  ¡Cómo no te he menester!
para lo que he de vivir!…
Sin hacer he de morir,
en ti no tengo de estar
más tiempo que el de pasar    545
de una cárcel a otra oscura,
y para una sepultura
por fuerza me la has de dar.

MUNDO  ¿Qué pides tú, di, grosero?

LABRAD.  Lo que le diera yo a él.    550

MUNDO  Ea, muestra tu papel.

LABRAD.  Ea, digo que no quiero.

MUNDO  De tu proceder infiero
que, como bruto gañán,
habrás de ganar tu pan.    555

LABRAD.  Esas mis desdichas son.

MUNDO  Pues, toma aqueste azadón.
*(Dale un azadón.)*

LABRAD.  Esta es la herencia de Adán.
Señor Adán, bien pudiera,
pues tanto llegó a saber,    560
conocer que su mujer

```
                pecaba de bachillera;
                dejárala que comiera
                y no la ayudara él;
                más como amante cruel            565
                dirá que se lo rogó
                y así tan mal como yo
                representó su papel. (Vase.)
        POBRE      Ya que a todos darles dichas
                gustos y contentos vi,               570
                dame pesares a mí,
                dame penas y desdichas;
                no de las venturas dichas
                quiero púrpura y laurel;
                déste colores, de aquél              575
                plata ni oro no he querido.
                Sólo remiendos te pido.
        MUNDO  ¿Qué papel es tu papel?
        POBRE      Es mi papel la aflicción,
                es la angustia, es la miseria,       580
                . . . . . . . . . . . . . . . . . . . . 49
                la desdicha, la pasión,
                el dolor, la compasión,
                el suspirar, el gemir,
                el padecer, el sentir,
                importunar y rogar,                  585
                el nunca tener que dar,
                el siempre haber de pedir.
                   El desprecio, la esquivez,
                el baldón, el sentimiento,
                la vergüenza, el sufrimiento,        590
                el hambre, la desnudez,
                el llanto, la mendiguez,
                la inmundicia, la bajeza,
                el desconsuelo y pobreza,
                la sed, la penalidad,                595
                y es la vil necesidad,
```

---

49 Falta un verso para completar la décima.

que todo esto es la pobreza.

MUNDO    A ti nada te he de dar,
que el que haciendo al pobre vive
nada del mundo recibe,            600
antes te pienso quitar
estas ropas, que has de andar
desnudo, para que acuda *(desnúdale)*
yo a mi cargo, no se duda.

POBRE En fin, este mundo triste       605
al que está vestido viste
y al desnudo le desnuda.

MUNDO    Ya que de varios estados
está el teatro cubierto,
pues un rey en él advierto       610
con imperios dilatados;
beldad a cuyos cuidados
se adormecen los sentidos,
poderosos aplaudidos,
mendigos, menesterosos,       615
labradores, religiosos,
que son los introducidos
para hacer los personajes
de la comedia de hoy,
a quien[50] yo el teatro doy,     620
las vestiduras y trajes
de limosnas y de ultrajes
¡sal, divino Autor, a ver
las fiestas que te han de hacer
los hombres! Ábrase el centro   625
de la tierra, pues que dentro
della la escena ha de ser!

*Con música se abren a un tiempo dos globos: en el uno*
*estará un trono de gloria, y en él el* AUTOR *sentado;*
*en el otro ha de haber representación con dos puertas:*
*en la una pintada una cuna y en la otra un ataúd*

---

50 *quien* por 'quienes', es forma corriente en la época.

AUTOR     Pues para grandeza mía
aquesta fiesta he trazado,
en este trono sentado,            630
donde es eterno mi día,
he de ver mi compañía.
Hombres que salís al suelo
por una cuna de yelo
y por un sepulcro entráis,      635
ved cómo representáis,
que os ve el Autor desde el cielo.

*Sale la* DISCRECIÓN *con un instrumento, y canta*

DISCR.     Alaben al Señor de tierra y cielo,
el sol, luna y estrellas;
alábenle las bellas          640
flores que son carácteres[51] del suelo;
alábele la luz, el fuego, el yelo,
la escarcha y el rocío,
el invierno y estío,
y cuanto esté debajo de este velo   645
que en visos celestiales,
árbitro es de los bienes y los males[52].
*(Vase.)*

AUTOR     Nada me suena mejor
que en voz del hombre este fiel
himno que cantó Daniel     650
para templar el furor
de Nabuco-Donosor.

---

[51] El ritmo de los versos pide acentuar *carácteres*.
[52] Los versos 638-647 son parte del himno que cantan los tres hebreros arrojados al horno por Nabucodonosor, en *Daniel*, cap. III, versículos 52-90. Los que utiliza Calderón son los versículos 62-64 y 66-72. Este himno y el que inmediatamente antes canta —en *Daniel*— Azarías, no figuran, como advierte San Jerónimo, en los códices hebreos, y están tomados del texto de los *Setenta* y de la versión de Teodoción; pero, como apostilla el padre Scio *(La Biblia Vulgata,* 2.ª ed., Madrid, 1853, vol. VIII, pág. 19) «la Iglesia lo ha venerado siempre como sagrado y canónico». La interpolación abarca del versículo 24 al 90.

MUNDO   ¿Quién hoy la *loa*[53] echará?
        Pero en la apariencia ya
        la ley convida a su voz         655
        que como corre veloz,
        en elevación[54] está
        sobre la haz de la tierra.

*Aparece la* LEY DE GRACIA *en una elevación, que estará
sobre donde estuviere el* MUNDO, *con un papel en la
mano*

LEY   Yo, que Ley de Gracia soy,
        la fiesta introduzgo[55] hoy;       660
        para enmendar al que yerra
        en este papel se encierra
        la gran comedia, que Vos
        compusisteis sólo en dos
        versos que dicen así:         665
        *(Canta.) Ama al otro como a ti,
        y obra bien, que Dios es Dios.*
MUNDO     La Ley, después de la loa,
        con el apunto quedó.
        Victoriar[56] quisiera aquí      670
        pues me representa a mí:
        vulgo desta fiesta soy;
        mas callaré porque empieza
        ya la representación.

*Salen la* HERMOSURA *y la* DISCRECIÓN *por la puerta
de la cuna*

HERM.   Vente conmigo a espaciar      675
        por estos campos que son

---

[53] La *loa*, en el teatro antiguo, era el prólogo de la función.
[54] La *elevación* era un tablado más alto que el resto de la
escena. En el verso siguiente, «sobre la-haz» ha de leerse sin hacer
la sinalefa, como si dijese «sobre la faz»; recuerda la aspiración
de la *h*, como en otros casos.
[55] *introduzgo*, por 'introduzco'.
[56] Victoriar, 'vitorear'. El Mundo, para el cual ha representado

felice [57] patria del Mayo,
dulce lisonja del sol;
pues sólo a los dos conocen,
dando solos a los dos,                     680
resplandores, rayo a rayo,
y matices, flor a flor.

DISCR.  Ya sabes que nunca gusto
de salir de casa yo,
quebrantando la clausura              685
de mi apacible prisión.

HERM.  ¿Todo ha de ser para ti
austeridad y rigor?
¿Na ha de haber placer un día?
Dios, di ¿para qué crió                   690
flores, si no ha de gozar
el olfato el blando olor
de sus fragantes aromas?
¿Para qué aves engendró,
que, en cláusulas lisonjeras,       695
cítaras de pluma son,
si el oído no ha de oírlas?
¿Para qué galas, si no
las ha de romper el tacto
con generosa ambición?               700
¿Para qué las dulces frutas,
si no sirve su sazón
de dar al gusto manjares
de un sabor y otro sabor?
¿Para qué hizo Dios, en fin,         705
montes, valles, cielo, sol,
si no han de verlo los ojos?

---

o actuado la Ley de Gracia —«vulgo desta fiesta soy»— quisiera
vitorear, al acabar el recitado de ésta. Era, en efecto, costumbre
que el público saludase con vítores al actor que había recitado
bien la loa. Dice Pablos, en el *Buscón* de Quevedo: «Eché la
primera loa en el lugar... Hubo un vítor de rezado, y al fin
parecí bien en el tablado» (cap. XXII).

[57] *felice*, por 'feliz', es una licencia poética.

Ya parece, y con razón,
ingratitud no gozar
las maravillas de Dios.                                    710
DISCR.   Gozarlas para admirarlas
es justa y lícita acción
y darle gracias por ellas,
gozar las bellezas, no
para usar dellas tan mal                              715
que te persuadas que son
para verlas las criaturas,
sin memoria del Criador.
Yo no he de salir de casa;
ya escogí esta religión                                   720
para sepultar mi vida;
por eso soy Discreción.
HERM.   Yo, para esto, Hermosura:
a ver y ser vista voy. *(Apártanse.)*
MUNDO   Poco tiempo se avinieron                       725
Hermosura y Discreción.
HERM.   Ponga redes su cabello,
y ponga lazos mi amor
al más tibio afecto, al más
retirado corazón.                                            730
MUNDO   Una acierta, y otra yerra
su papel, de aquestas dos.
DISCR.   ¿Que haré yo para emplear
bien mi ingenio?
HERM.                        ¿Que haré yo
para lograr mi hermosura?                           735
LEY   *(Canta.) Obrar bien, que Dios es Dios.*
MUNDO   Con oírse el apunto[58]
la Hermosura no le oyó.

### Sale el RICO

RICO   Pues pródigamente el cielo

---

[58] *apunto* es también lo que el libreto dice, lo que el apuntador
hace llegar al actor con su voz.

hacienda y poder me dio,                    740
pródigamente se gaste
en lo que delicias son.
Nada me parezca bien
que no lo apetezca yo;
registre mi mesa cuanto                     745
o corre o vuela veloz.
Sea mi lecho la esfera
de Venus, y en conclusión
la pereza y las delicias,
gula, envidia y ambición                    750
hoy mis sentidos posean.

### Sale el LABRADOR

LABRAD. ¿Quién vio trabajo mayor
que el mío? Yo rompo el pecho
a quien el suyo me dio [59]
porque el alimento mío                      755
en esto se me libró.
Del arado que la cruza
la cara, ministro soy,
pagándola el beneficio
en aquestos que la [60] doy.                760
Hoz y azada son mis armas;
con ellas riñendo estoy:
con las cepas, con la azada;
con las mieses, con la hoz.
En el mes de Abril y Mayo                   765
tengo hidrópica pasión,
y si me quitan el agua
entonces estoy peor.

---

[59] Es decir, a la tierra.

[60] *la*, como en el verso anterior *pagándola* son usos laístas; gramaticalmente, sería preferible *le*, en ambos casos. Siendo *beneficio* 'el bien que uno hace a otro', se entiende que el labrador habla irónicamente al decir que son beneficios «romper el pecho de la tierra» y «cruzarle la cara».

En cargando algún tributo,
de aqueste siglo pensión,                              770
encara la puntería
contra el triste labrador.
Mas, pues trabajo y lo sudo,
los frutos de mi labor
me ha de pagar quien los compre      775
al precio que quiera yo.
No quiero guardar la tasa
ni seguir más la opinión
de quien, porque ha de comprar,
culpa a quien no la guardó.               780
Y yo sé que si no llueve
este Abril, que ruego a Dios
que no llueva, ha de valer
muchos ducados mi troj[61].
Con esto un Nabal-Carmelo[62]              785
seré de aquesta región
y me habrán menester todos;
pero muy hinchado yo,
entonces, ¿qué podré hacer?

LEY      *(Canta.) Obrar bien, que Dios es Dios.*   790
DISCR.   ¿Cómo el apunto no oíste?
LABRAD.  Como sordo a tiempo soy…
MUNDO    Él al fin se está en sus treces.
LABRAD.  Y aun en mis catorce estoy.


*Sale el* POBRE

POBRE   De cuantos el mundo viven,             795
        ¿quién mayor miseria vio
        que la mía? Aqueste suelo

---

61 *troj*, por 'troje' o granero.
62 *Nabal* era un hombre rico que poseía su hacienda en el monte
Carmelo (Libro I de Samuel, cap. XXI). Su viuda, Abigail, fue
mujer de David, y es prefiguración de la Virgen, pues pronuncia
las palabras: «he aquí tu sierva» (Samuel, I, XX, 41).

es el más dulce y mejor
lecho mío, que, aunque es
todo el cielo pabellón                    800
suyo, descubierto está
a la escarcha y al calor;
la hambre y la sed me afligen.
¡Dadme paciencia, mi Dios!

RICO  ¿Qué haré yo para ostentar       805
mi riqueza?

POBRE             ¿Qué haré yo
para sufrir mis desdichas?

LEY  *(Canta.) Obrar bien, que Dios es Dios.*

POBRE  ¡Oh, cómo esta voz consuela!

RICO  ¡Oh, cómo cansa esta voz!           810

DISCR.  El Rey sale a estos jardines.

POBRE  ¡Cuánto siente esta ambición
postrarse a nadie!

HERM.           Delante
de él he de ponerme yo
para ver si mi hermosura              815
pudo rendirlo a mi amor.

LABRAD.  Yo detrás; no se le antoje,
viendo que soy labrador,
darme con un nuevo arbitrio,
pues no espero otro favor.            820


*Sale el* REY


REY  A mi dilatado imperio
estrechos límites son
cuantas contiene provincias
esta máquina inferior.
De cuanto circunda el mar              825
y de cuanto alumbra el sol
soy el absoluto dueño.
soy el supremo señor.
Los vasallos de mi imperio

se postran por donde voy.                            830
¿Qué he menester yo en el mundo?
LEY     *(Canta.) Obrar bien, que Dios es Dios.*
MUNDO  A cada uno va diciendo
el apunto lo mejor.
POBRE  Desde la miseria mía                         835
mirando infeliz estoy,
ajenas felicidades.
El rey, supremo señor,
goza de la majestad
sin acordarse que yo                                840
necesito de él; la dama
atenta a su presunción
no sabe si hay en el mundo
necesidad y dolor;
la religiosa, que siempre                           845
se ha ocupado en oración,
si bien a Dios sirve, sirve
con comodidad a Dios.
El labrador, si cansado
viene del campo, ya halló                            850
honesta mesa su hambre,
si opulenta mesa no;
al rico le sobra todo;
y sólo, en el mundo, yo
hoy de todos necesito,                              855
y así llego a todos hoy,
porque ellos viven sin mí
pero yo sin ellos no.
A la Hermosura me atrevo
a pedir. Dadme, por Dios,                            860
limosna.
HERM.          Decidme, fuentes,
pues que mis espejos sois,
¿qué galas me están más bien?,
¿qué rizos me están mejor?
POBRE  ¿No me veis?
MUNDO          Necio, no miras                       865

|        | que es vana tu pretensión? |     |
|--------|----------------------------|-----|
|        | ¿Por qué ha de cuidar de ti |    |
|        | quien de sí se descuidó?   |     |
| POBRE  | Pues, que tanta hacienda os sobra, | |
|        | dadme una limosna vos.     | 870 |
| RICO   | ¿No hay puertas dónde llamar? |  |
|        | ¿Así os entráis donde estoy? |   |
|        | En el umbral del zaguán    |     |
|        | pudiérais llamar, y no     |     |
|        | haber llegado hasta aquí.  | 875 |
| POBRE  | No me tratéis con rigor.   |     |
| RICO   | Pobre importuno, idos luego. |   |
| POBRE  | Quien tanto desperdició    |     |
|        | por su gusto, ¿no dará     |     |
|        | alguna limosna?            |     |
| RICO   | No.                        | 880 |
| MUNDO  | El avariento y el pobre    |     |
|        | de la parábola, son [63].  |     |
| POBRE  | Pues a mi necesidad        |     |
|        | le falta ley y razón,      |     |
|        | atreveréme al rey mismo.   | 885 |
|        | Dadme limosna, Señor.      |     |
| REY    | Para eso tengo ya          |     |
|        | mi limosnero mayor.        |     |
| MUNDO  | Con sus ministros el Rey   |     |
|        | su conciencia aseguró.     | 890 |
| POBRE  | Labrador, pues recibís     |     |
|        | de la bendición de Dios    |     |
|        | por un grano que sembráis  |     |
|        | tanta multiplicación,      |     |
|        | mi necesidad os pide       | 895 |
|        | limosna.                   |     |
| LABRAD.| Si me la dio               |     |
|        | Dios, buen arar y sembrar  |     |
|        | y buen sudor me costó.     |     |

---

[63] Alude a la parábola del *Evangelio* de San Lucas (XVI, versículo 19 y siguientes).

Decid: ¿no tenéis vergüenza
que un hombrazo como vos                    900
pida? ¡Servid, noramala!
No os andéis hecho un bribón.
Y si os falta que comer,
tomad aqueste azadón
conque lo podéis ganar.                     905

POBRE  En la comedia de hoy
yo el papel de pobre hago;
no hago el de labrador.

LABRAD.  Pues, amigo, en su papel
no le ha mandado el Autor                    910
pedir no más y holgar siempre,
que el trabajo y el sudor
es propio papel del pobre.

POBRE  Sea por amor de Dios.
Riguroso, hermano, estáis.                   915

LABRAD.  Y muy pedigüeño vos.

POBRE  Dadme vos algún consuelo.

DISCR.  Tomad, y dadme perdón. *(Dale un pan.)*

POBRE  Limosna de pan, señora,
era fuerza hallarla en vos,                  920
porque el pan que nos sustenta
ha de dar la Religión [64].

DISCR.  ¡Ay de mí!

REY              ¿Qué es esto?

POBRE                          Es
alguna tribulación
que la Religión padece.                      925
*(Va a caer la RELIGIÓN, y le da el REY
la mano.)*

REY  Llegaré a tenerla yo [65].

DISCR.  Es fuerza; que nadie puede
sostenerla como vos.

---

[64] Se refiere a la Sagrada Forma.
[65] El Rey sostiene a la Religión, como es propio de la monarquía católica.

AUTOR Yo, bien pudiera enmendar
los yerros que viendo estoy;                    930
pero por eso les di
albedrío superior
a las pasiones humanas,
por no quitarles la acción
de merecer con sus obras;                       935
y así dejo a todos hoy
hacer libres sus papeles
y en aquella confusión
donde obran todos juntos
miro en cada uno yo,                            940
diciéndoles por mi ley:

LEY   *(Canta.) Obrar bien, que Dios es Dios*[66].
*(Recita.)* A cada uno por sí
y a todos juntos, mi voz
ha advertido; ya con esto                       945
su culpa será su error.
*(Canta.) Ama al otro como a ti*
*y obrar bien, que Dios es Dios.*

REY   Supuesto que es esta vida
una representación,                             950
y que vamos un camino
todos juntos, haga hoy
del camino la llaneza,
común la conversación.

HERM. No hubiera mundo a no haber              955
esa comunicación.

RICO  Diga un cuento cada uno.

DISCR. Será prolijo; mejor
será que cada uno diga
qué está en su imaginación.                     960

REY      Viendo estoy mis imperios dilatados,
mi majestad, mi gloria, mi grandeza,
en cuya variedad naturaleza

---

66 Se afirma aquí el libre albedrío.

perfecciónó de espacio⁶⁷ sus cuidados.

Alcázares poseo levantados, 965
mi vasalla ha nacido la belleza.
La humildad de unos, de otros la riqueza,
triunfo son al arbitrio de los hados.

Para regir tan desigual, tan fuerte
monstruo de muchos cuellos, me con- 970
los cielos atenciones más felices. [cedan

Ciencia me den con que regir acierte,
que es imposible que domarse puedan
con un yugo no más tantas cervices.

MUNDO    Ciencia para gobernar 975
pide, como Salomón⁶⁸.
*(Canta una voz triste, dentro, a la parte
que está la puerta del ataúd.)*

VOZ  Rey de este caduco imperio,
cese, cese, tu ambición,
que en el teatro del mundo
ya tu papel se acabó. 980

REY  Que ya acabó mi papel
me dice una triste voz,
que me ha dejado al oírla
sin discurso ni razón.
Pues se acabó el papel, quiero 985
entrarme⁶⁹, mas ¿dónde voy?
Porque a la primera puerta,
donde mi cuna se vió,
no puedo, ¡ay de mí!, no puedo
retroceder. ¡Qué rigor! 990
¡No poder hacia la cuna
dar un paso!... ¡Todos son
hacia el sepulcro!... ¡Que el río
que, brazo de mar, huyó,

---

⁶⁷ *de espacio*, 'despacio', con meticulosidad.

⁶⁸ Alude a otro pasaje bíblico, del *Libro de los Reyes*. (I, cap. III, 5-10.) Y más directamente en II, *Paralipómenos*, I, 8.

⁶⁹ *entrarme*, por 'entrar', como antes *irse* por '*ir*', son formas de la época.

vuelva a ser mar; que la fuente          995
que salió del río (¡qué horror),
vuelva a ser río; el arroyo
que de la fuente corrió
vuelva a ser fuente; y el hombre,
que de su centro salió,                  1000
vuelva a su centro, a no ser
lo que fue!... ¡Qué confusión!
Si ya acabó mi papel,
supremo y divino Autor,
dad a mis yerros disculpa,                1005
pues arrepentido estoy.
*(Vase por la puerta del ataúd, y todos*
*se han de ir por ella.)*

MUNDO  Pidiendo perdón el Rey,
bien su papel acabó.

HERM.  De en medio de sus vasallos,
de su pompa y de su honor,                1010
faltó el rey.

LABRAD.            No falte en mayo
el agua al campo en sazón,
que con buen paño y sin rey
lo pasaremos mejor.

DISCR.  Con todo, es gran sentimiento.     1015

HERM.  Y notable confusión.
¿Qué haremos sin él?

RICO                        Volver
a nuestra conversación.
Dinos, tú, lo que imaginas.

HERM.  Aquesto imagino yo.                 1020

MUNDO  ¡Qué presto se consolaron
los vivos de quien murió!

LABRAD.  Y más cuando el tal difunto
mucha hacienda les dejó.

HERM.    Viendo estoy mi beldad hermosa y  1025
                                    [pura
ni al rey envidio, ni sus triunfos quiero,
pues más ilustre imperio considero

que es el que mi belleza me asegura.
        Porque si el rey avasallar procura
las vidas, yo, las almas; luego infiero          1030
con causa que mi imperio es el primero,
pues que reina en las almas la hermosura.
«Pequeño mundo»[70] la filosofía
llamó al hombre; si en él mi imperio
                                    [fundo,
como el cielo lo tiene, como el suelo,           1035
bien pueda presumir la deidad mía
que el que al hombre llamó «pequeño
                                    [mundo».
llamara a la mujer «pequeño cielo».

MUNDO      No se acuerda de Ezequiel
        cuando dijo que trocó                    1040
        la Soberbia, a la Hermosura,
        en fealdad, la perfección.

VOZ     *(Canta.) Toda la hermosura humana*
        *es una temprana flor,*
        *marchítese, pues la noche*             1045
        *ya de su aurora llegó.*

HERM.   Que fallezca la hermosura
        dice una triste canción.
        No fallezca, no fallezca.
        Vuelva a su primer albor.               1050
        Mas, ¡ay de mí!, que no hay rosa,
        de blanco o rojo color,
        que a las lisonjas del día,
        que a los halagos del sol,
        saque a deshojar sus hojas,             1055
        que no caduque; pues no
        vuelve ninguna a cubrirse
        dentro del verde botón.
        Mas, ¿qué importa que las flores,

---

70 La idea del hombre como «pequeño mundo» o *microcosmo*
es común en la filosofía griega y se extendió mucho en el Renacimiento.

                    del alba breve candor,                          1060
                    marchiten del sol dorado
                    halagos de su arrebol?
                    ¿Acaso tiene conmigo
                    alguna comparación,
                    flor, en que ser y no ser          1065
                    términos continuos son?
                    No, que yo soy flor hermosa
                    de tan grande duración,
                    que si vio el sol mi principio
                    no verá mi fin el sol.            1070
                    Si eterna soy, ¿como puedo
                    fallecer? ¿Qué dices, voz?
            VOZ  (Canta.) Que en el alma eres eterna,
                    y en el cuerpo mortal flor.
          HERM.  Ya no hay réplica que hacer           1075
                    contra aquesta distinción.
                    De aquella cuna salí
                    y hacia este sepulcro voy.
                    Mucho me pesa no haber
                    hecho mi papel mejor. (Vase.)      1080
        MUNDO  Bien acabó el papel, pues
                    arrepentida acabó.
          RICO  De entre las galas y adornos
                    y lozanías, faltó
                    la hermosura.
        LABRAD.              No nos falte           1085
                    pan, vino, carne y lechón
                    por Pascua, que a la Hermosura
                    no la echaré menos[71] yo.
        DISCR.  Con todo, es grande tristeza.
        POBRE  Y aun notable compasión.              1090
                    ¿Qué habemos de hacer?
          RICO                      Volver
                    a nuestra conversación.
        LABRAD.  Cuando el ansioso cuidado

---

[71] echaré menos es hoy 'echaré de menos'.

con que acudo a mi labor
miro sin miedo al calor                          1095
y al frío desazonado,
y advierto lo descuidado
del alma, tan tibia ya,
la culpo, pues dando está
gracias de cosecha nueva                          1100
al campo porque la lleva
y no a Dios que se la da.

MUNDO    Cerca está de agradecido
quien se conoce deudor.

POBRE  A este labrador me inclino             1105
aunque antes me reprehendió.

VOZ  *(Canta.) Labrador, a tu trabajo*
*término fatal llegó;*
*ya lo serás de otra tierra;*
*dónde será, sabe Dios...*[71 bis]         1110

LABRAD.  Voz, si de la tal sentencia
admites apelación,
admíteme, que yo apelo
a tribunal superior.
No muera yo en este tiempo,                       1115
aguarda sazón mejor,
siquiera porque mi hacienda
la deje puesta en sazón;
y porque, como ya dije,
soy maldito labrador,                             1120
como lo dicen mis viñas
cardo a cardo y flor a flor,
pues tan alta está la yerba
que duda el que la miró
un poco apartado dellas                           1125
si mieses o viñas son.
Cuando panes del lindero
son gigante admiración,

---

[71 bis]  Valbuena pone «sabe Dios» entre admiraciones, lo que
significaría «¡cualquiera lo sabe!» Pero en Pando no las hay, pues
el sentido es que «Dios lo sabe».

casi enanos son los míos,
pues no salen del terrón.                    1130
Dirá quien aquesto oyere
que antes es buena ocasión
estando el campo sin fruto
morirme, y respondo yo:
—Si dejando muchos frutos                    1135
al que hereda, no cumplió
testamento de sus padres,
¿qué hará sin frutos, Señor?—
Mas, pues no es tiempo de gracias
pues allí dijo una voz                       1140
que me muero, y el sepulcro
la boca, a tragarme, abrió,
si mi papel no he cumplido
conforme a mi obligación,
pésame que no me pese                         1145
de no tener gran dolor. *(Vase.)*

MUNDO  Al principio le juzgué
    grosero, y él me advirtió
    con su fin de mi ignorancia.
    ¡Bien acabó el labrador!                  1150

RICO  De azadones y de arados,
    polvo, cansancio y sudor
    ya el Labrador ha faltado.

POBRE  Y afligidos nos dejó.

DISCR.  ¡Qué pena!

POBRE          ¡Qué desconsuelo!        1155

DISCR.  ¡Qué llanto!

POBRE         ¡Qué confusión!

DISCR.  ¿Qué habemos de hacer?

RICO            Volver,
    a nuestra conversación;
    y, por hacer lo que todos,
    digo lo que siento yo.                   1160
    ¿A quién mirar no le asombra
    ser esta vida una flor
    que nazca con el albor

y fallezca con la sombra?
Pues si tan breve se nombra,                        1165
de nuestra vida gocemos
el rato que la tenemos:
dios a nuestro vientre hagamos.
¡Comamos, hoy, y bebamos,
que mañana    moriremos!                            1170

MUNDO      De la Gentilidad es
aquella preposición,
así lo dijo Isaías.

DISCR.     ¿Quién se sigue ahora?

POBRE                              Yo.
Perezca, Señor, el día                              1175
en que a este mundo nací[72].
Perezca la noche fría
en que concebido fui
para tanta pena mía.
No la alumbre la luz pura                           1180
del sol entre oscuras nieblas:
todo sea sombra oscura,
nunca venciendo la dura
opresión de las tinieblas.
Eterna la noche sea                                 1185
ocupando pavorosa
su estancia, y porque no vea
el cielo; caliginosa
oscuridad la posea.
De tantas vivas centellas                           1190
luces sea su arrebol,
. . . . . . . . . . . . . . . . . [72 bis]
día sin aurora y sol,
noche sin luna y estrellas.
No porque así me he quejado
es, Señor, que desespero                            1195

_____

[72] Glosa el lamento de Job. (Ver: *Libro de Job*, III, versículo 3
y siguientes.) Antes alude a Isaías (cap. XXII, 13).
[72 bis] Falta, sin duda, un verso para completar la quintilla.

77

por mirarme en tal estado,
sino porque considero
que fui nacido en pecado,

MUNDO    Bien ha engañado las señas
de la desesperación           1200
que así, maldiciendo el día,
maldijo el pecado Job.

VOZ  *(Canta.) Número tiene la dicha,*
*número tiene el dolor;*
*de ese dolor y esa dicha,*       1205
*venid a cuentas los dos.*

RICO  ¡Ay de mí!

POBRE          ¡Qué alegre nueva!

RICO  ¿Desta voz que nos llamó
tú no te estremeces?

POBRE         Sí.

RICO  ¿No procurarás huir?

POBRE         No;     1210
que el estremecerse es
una natural pasión
del ánimo, a quien como hombre
temiera Dios, con ser Dios.
Mas si el huir será en vano,     1215
porque si della no huyó
a su sagrado el poder,
la hermosura a su blasón,
¿dónde podrá la pobreza?
Antes mil gracias le doy       1220
pues con esto acabará
con mi vida mi dolor.

RICO  ¿Cómo no sientes dejar
el teatro?

POBRE       Como no
dejo en él ninguna dicha,     1225
voluntariamente voy.

RICO  Yo ahorcado, porque dejo
en la hacienda el corazón.

POBRE  ¡Qué alegría!

| | |
|---|---|
| RICO | ¡Qué tristeza! |
| POBRE | ¡Qué consuelo! |
| RICO | ¡Qué aflicción! |
| POBRE | ¡Qué dicha! |
| RICO | ¡Qué sentimiento! |
| POBRE | ¡Qué ventura! |
| RICO | ¡Qué rigor! *(Vanse los dos.)* |

MUNDO ¡Qué encontrados al morir
el rico y el pobre son!

DISCR. En efecto, en el teatro 1235
sola me he quedado yo.

MUNDO Siempre, lo que permanece
más en mí, es la religión.

DISCR. Aunque ella acabar no puede,
yo sí, porque yo no soy 1240
la Religión, sino un miembro
que aqueste estado eligió.
Y antes que la voz me llame
yo me anticipo a la voz
del sepulcro, pues ya en vida 1245
me sepulté, con que doy,
por hoy, fin a la comedia,
que mañana hará el Autor.
Enmendaos para mañana
los que veis los yerros de hoy. 1250
*(Ciérrase el globo de la tierra.)*

AUTOR Castigo y premio ofrecí
a quien mejor o peor
representase, y verán
qué castigo y premio doy.
*(Ciérrase el globo celeste, y, en él,
el AUTOR.)*

MUNDO ¡Corta fue la comedia! Pero 1255
[¿cuándo
no lo fue la comedia desta vida,
y más para el que está considerando
que toda es una entrada, una salida?
Ya todos el teatro van dejando,

a su primer materia reducida 1260
la forma que tuvieron y gozaron;
polvo salgan de mí, pues polvo entraron.
    Cobrar quiero de todos, con cuidado,
las joyas que les di con que adornasen
la representación en el tablado, 1265
pues sólo fue mientras representasen.
Pondréme en esta puerta, y, avisado,
haré que mis umbrales no traspasen
sin que dejen las galas que tomaron:
polvo salgan de mí, pues polvo en- 1270
              [traron.

*Sale el* REY

MUNDO    Di, ¿qué papel hiciste, tú, que ahora
        el primero a mis manos has venido?
REY  Pues, ¿el Mundo quién fui tan presto ig-
MUNDO El Mundo lo que fue pone en olvido.   [nora?
REY  Aquél fui que mandaba cuanto dora 1275
        el sol, de luz y resplandor vestido,
        desde que en brazos de la aurora nace
        hasta que en brazos de la sombra yace.
           Mandé, juzgué, regí muchos estados;
        hallé, heredé, adquirí grandes memo- 1280
        vi, tuve, concebí cuerdos cuidados;  [rias;
        poseí, gocé, alcancé varias victorias.
        Formé, aumenté, valí varios privados;
        hice, escribí, dejé varias historias;
        vestí, imprimí, ceñí, en ricos doseles, 1285
        las púrpuras, los cetros y laureles.
MUNDO  Pues deja, suelta, quita la corona;
        la majestad, desnuda, pierde, olvida,
        *(quítaselo)*
        vuélvase, torne, salga tu persona
        desnuda de la farsa de la vida. 1290
        La púrpura, de quien tu voz blasona,
        presto de otro se verá vestida,
        porque no has de sacar de mis crueles

|         | manos, púrpuras, cetros, ni laureles. |      |
|---------|----------------------------------------|------|
| REY     | ¿Tú, no me diste adornos tan ama-      | 1295 |
|         | [dos?                                  |      |
|         | ¿Cómo me quitas lo que ya me diste?    |      |
| MUNDO   | Porque dados no fueron, no: prestados  |      |
|         | sí, para el tiempo que el papel hiciste. |    |
|         | Déjame para otros los estados,         |      |
|         | la majestad y pompa que tuviste.       | 1300 |
| REY     | ¿Cómo de rico fama solicitas           |      |
|         | si no tienes qué dar si no lo quitas?   |      |
|         | ¿Qué tengo de sacar en mi provecho     |      |
|         | de haber, al mundo, al rey representado? |    |
| MUNDO   | Esto, el Autor, si bien o mal lo has   | 1305 |
|         | [hecho,                                |      |
|         | premio o castigo te tendrá guardado;   |      |
|         | no, no me toca a mí, según sospecho,   |      |
|         | conocer tu descuido o tu cuidado:      |      |
|         | cobrar me toca el traje que sacaste,   |      |
|         | porque me has de dejar como me ha-     | 1310 |
|         | [llaste                                |      |

*Sale la* HERMOSURA

| MUNDO | ¿Qué has hecho tú? |
|-------|---------------------|
| HERM. | La gala y hermosura. |
| MUNDO | ¿Qué te entregué? |
| HERM. | Perfecta una belleza. |
| MUNDO | Pues, ¿dónde está? |
| HERM. | Quedó en la sepultura. |
| MUNDO | Pasmóse, aquí, la gran naturaleza |

|       | viendo cuán poco la hermosura dura,    | 1315 |
|-------|----------------------------------------|------|
|       | que aún no viene a parar adonde empieza, |    |
|       | pues al querer cobrarla yo, no puedo;  |      |
|       | ni la llevas, ni yo con ella quedo.    |      |
|       | El Rey, la majestad en mí ha dejado;   |      |
|       | en mí ha dejado el lustre, la grandeza. | 1320 |
|       | La belleza no puedo haber cobrado,     |      |
|       | que espira con el dueño la belleza.    |      |

Mírate a ese cristal[73].

HERM.                  Ya me he mirado.

MUNDO ¿Dónde está la beldad, la gentileza
que te presté? Volvérmela procura.    1325

HERM. Toda la consumió la sepultura.
Allí dejé matices y colores;
allí perdí jazmines y corales;
allí desvanecí rosas y flores;
allí quebré marfiles y cristales.    1330
Allí turbé afecciones y primores;
allí borré designios y señales;
allí eclipsé esplendores y reflejos;
allí aun no toparás sombras y lejos.

*Sale el* LABRADOR

MUNDO Tú, villano, ¿qué hiciste?

LABRAD.               Si villano    1335
era fuerza que hiciese, no te asombre:
un labrador, que ya tu estilo vano
a quien labra la tierra da ese nombre.
Soy a quien trata siempre el cortesano
con vil desprecio y bárbaro renombre;    1340
y soy, aunque de serlo más me aflijo,
por quien el *él*, el *vos* y el *tú* se dijo[74].

MUNDO Deja lo que te di.

LABRAD.           Tú, ¿qué me has dado?

MUNDO Un azadón te di.

LABRAD.          ¡Qué linda alhaja!

MUNDO Buena o mala, con ella habrás pagado.    1345

LABRAD. ¿A quién el corazón no se le raja
viendo que deste mundo desdichado
de cuanto la codicia vil trabaja

---

[73] *cristal* significa 'espejo'.

[74] Calderón se refiere aquí a los tratamientos de la época. *El*
se usaba, a veces, con un sentido de menosprecio; *tú* y *vos* se
usaban como tratamiento de los superiores a los inferiores.

82

un azadón de la salud castigo,
aun no le han de dejar llevar consigo?     1350

*Salen el* RICO *y el* POBRE

MUNDO   ¿Quién va allá?
RICO                               Quien de ti nunca quisiera
              salir.
POBRE      Y quien de ti siempre ha deseado
              salir.
MUNDO      ¿Cómo los dos de esa manera
              dejarme y no dejarme habéis llorado?
RICO     Porque yo rico y poderoso era.     1355
POBRE    Y yo porque era pobre y desdichado.
MUNDO   Suelta estas joyas. *(Quítaselas.)*
POBRE                                   Mira qué bien fundo
              no tener que sentir dejar el mundo.

*Sale el* NIÑO

MUNDO      Tú que al teatro a recitar entraste,
              ¿cómo, di, en la comedia no saliste?     1360
NIÑO     La vida en un sepulcro me quitaste.
              Allí te dejo lo que tú me diste.

*Sale la* DISCRECIÓN

MUNDO      Cuando a las puertas del vivir llamaste
              tú, para adorno tuyo, ¿qué pediste?
DISCR.   Pedí una religión y una obediencia,     1365
              cilicios, disciplinas y abstinencia.
MUNDO    Pues déjalo en mis manos; no me pue-
              decir que nadie saca sus blasones.     [dan
DISCR.   No quiero; que en el mundo no se que-
              sacrificios, afectos y oraciones;     [dan 1370
              conmigo he de llevarlos, porque excedan
              a tus mismas pasiones tus pasiones;
MUNDO    No te puedo quitar las buenas obras.
              Estas solas del mundo se han sacado.     1375
REY      ¡Quién más reinos no hubiera poseído!

HERM.   ¡Quién más beldad no hubiera deseado!
RICO   ¡Quién más riquezas nunca hubiera habido!
LABRAD.   ¡Quién más, ay Dios, hubiera trabajado!
POBRE   ¡Quién más ansias hubiera padecido!   1380
MUNDO   Ya es tarde; que en muriendo, no os asom-
       no puede ganar méritos el hombre.   [bre,
          Ya que he cobrado augustas majestades,
       ya que he borrado hermosas perfecciones,
       ya que he frustrado altivas vanidades,   1385
       ya que he igualado cetros y azadones:
       al teatro pasad de las verdades
       que éste el teatro es de las ficciones.
REY   ¿Cómo nos recibiste de otra suerte
       que nos despides?
MUNDO               La razón advierte:   1390
       cuando algún hombre hay algo que reciba,
       las manos pone, atento a su fortuna,
       en esta forma; cuando con esquiva
       acción lo arroja, así las vuelve. De una
       suerte: puesta la cuna boca arriba   1395
       recibe al hombre; y esta misma cuna,
       vuelta al revés, la tumba suya ha sido.
       Si cuna os recibí, tumba os despido.
POBRE      Pues que tan tirano el mundo
       de su centro nos arroja,   1400
       vamos a aquella gran cena
       que en premio de nuestras obras
       nos ha ofrecido el Autor.
REY   ¿Tú también, tanto baldonas
       mi poder, que vas delante?   1405
       ¿Tan presto de la memoria
       que fuiste vasallo mío,
       mísero mendigo, borras?
POBRE   Ya acabado tu papel,
       en el vestuario ahora   1410
       del sepulcro, iguales somos,
       lo que fuiste poco importa.
RICO   ¿Cómo te olvidas que a mí

ayer pediste limosna?

POBRE ¿Cómo te olvidas que tú                                    1415
no me la diste?

HERM.                    ¿Ya ignoras
la estimación que me debes
por más rica y más hermosa?

DISCR. En el vestuario ya
somos parecidas todas,                                           1420
que en una pobre mortaja
no hay distinción de personas.

RICO ¿Tú vas delante de mí,
villano?

LABRAD.                    Deja las locas
ambiciones, que, ya muerto,                                      1425
del sol que fuiste eres sombra.

RICO No sé lo que me acobarda
el ver al Autor ahora.

POBRE Autor del cielo y la tierra,
y a tu compañía toda                                             1430
que hizo de la vida humana
aquella comedia corta,
a la gran cena, que tú
ofreciste, llega; corran
las cortinas de tu solio                                         1435
aquellas cándidas hojas.

*Con música se descubre otra vez el globo celeste,*
*y en él una mesa con cáliz y hostia, y el* AUTOR *sentado*
*a ella; y sale el* MUNDO

AUTOR Esta mesa, donde tengo
pan que los cielos adoran
y los infiernos veneran,
os espera; mas importa                                           1440
saber los que han de llegar
a cenar conmigo ahora,
porque de mi compañía
se han de ir los que no logran

85

          sus papeles, por [faltarles]⁷⁵            1445
          entendimiento y memoria
          del bien que siempre les hice
          con tantas misericordias.
          Suban a cenar conmigo
          el pobre y la religiosa                   1450
          que, aunque por haber salido
          del mundo este pan no coman,
          sustento será adorarle
          por ser objeto de gloria.
          (Suben los dos.)
  POBRE   ¡Dichoso yo! ¡Oh, quién pasara            1455
          más penas y más congojas,
          pues penas por Dios pasadas
          cuando son penas son glorias!
  DISCR.  Yo que tantas penitencias
          hice, mil veces dichosa,                  1460
          pues tan bien las he logrado.
          Aquí dichoso es quien llora
          confesando haber errado.
  REY     Yo, Señor, ¿entre mis pompas
          ya no te pedí perdón?                     1465
          Pues ¿por qué no me perdonas?
  AUTOR   La hermosura y el poder,
          por aquella vanagloria
          que tuvieron, pues lloraron⁷⁶,
          subirán, pero no ahora,                   1470
          con el labrador también,
          que aunque no te dio limosna,
          no fue por no querer darla,
          que su intención fue piadosa,
          y aquella reprehensión                    1475
          fue en su modo misteriosa
          para que tú te ayudases.

---

⁷⁵ La edición de Pando dice «salvarles», pero Valbuena lo sustituye, por falta de sentido.

⁷⁶ Entiéndase: «subirán, pues lloraron por aquella vanagloria que tuvieron».

| | |
|---|---|
| LABRAD. | Esa fue mi intención sola, |
| | que quise mal vagabundos. |
| AUTOR | Por eso os lo premio ahora, 1480 |
| | y porque llorando culpas |
| | pediste misericordia, |
| | los tres en el Purgatorio |
| | en su dilación penosa |
| | estaréis. |
| DISCR. | Autor divino, 1485 |
| | en medio de mis congojas |
| | el Rey me ofreció su mano |
| | y yo he de dársela ahora. |
| | *(Da la mano al* REY, *y sube.)* |
| AUTOR | Yo le remito la pena |
| | pues la religión le abona; 1490 |
| | pues vivió con esperanzas, |
| | vuele el siglo, el tiempo corra. |
| LABRAD. | Bulas de difuntos lluevan |
| | sobre mis penas ahora, |
| | tantas que por llegar antes 1495 |
| | se encuentren unas a otras; |
| | pues son estas letras santas |
| | del Pontífice de Roma |
| | mandamientos de soltura |
| | de esta cárcel tenebrosa. 1500 |
| NIÑO | Si yo no erré mi papel, |
| | ¿por qué no me galardonas, |
| | gran Señor? |
| AUTOR | Porque muy poco, |
| | le acertaste; y así ahora, |
| | ni te premio ni castigo. 1505 |
| | Ciego, ni uno ni otro goza, |
| | que en fin naces del pecado. |
| NIÑO | Ahora, noche medrosa |
| | como en un sueño me tiene |
| | ciego sin pena ni gloria[77]. 1510 |

---

[77] Quiere decirse que el *Niño* queda en el Limbo.

| | |
|---|---|
| RICO | Si el poder y la hermosura |
| | por aquella vanagloria |
| | que tuvieron, con haber |
| | llorado, tanto te asombran, |
| | y el labrador que a gemidos 1515 |
| | enterneciera una roca |
| | está temblando de ver |
| | la presencia poderosa |
| | de la vista del Autor, |
| | ¿cómo oso mirarla ahora? 1520 |
| | Mas es preciso llegar, |
| | pues no hay adonde me esconda |
| | de su riguroso juicio. |
| | ¡Autor! |
| AUTOR | ¿Cómo así me nombras? |
| | Que aunque soy tu Autor, es bien 1525 |
| | que de decirlo te corras, |
| | pues que ya en mi compañía |
| | no has de estar. De ella te arroja |
| | mi poder. Desciende adonde |
| | te atormente tu ambiciosa 1530 |
| | condición eternamente |
| | entre penas y congojas. |
| RICO | ¡Ay de mí! Que envuelto en fuego |
| | caigo arrastrando mi sombra |
| | donde ya que no me vea 1535 |
| | yo a mí mismo, duras rocas |
| | sepultarán mis entrañas |
| | en tenebrosas alcobas. |
| DISCR. | Infinita gloria tengo. |
| HERM. | Tenerla espero dichosa. 1540 |
| LABRAD. | Hermosura, por deseos |
| | no me llevarás la joya. |
| RICO | No la espero eternamente. |
| NIÑO | No tengo, para mí, gloria. |
| AUTOR | Las cuatro postrimerías 1545 |
| | son las que presentes notan |
| | vuestros ojos, y porque |

|            | destas cuatro se conozca |      |
|------------|--------------------------|------|
|            | que se ha de acabar la una, |   |
|            | suba la Hermosura ahora  | 1550 |
|            | con el Labrador, alegres, |     |
|            | a esta mesa misteriosa,  |      |
|            | pues que ya por sus fatigas |   |
|            | merecen grados de gloria. *(Suben los dos.)* | |

HERM. ¡Qué ventura!
LABRAD.                    ¡Qué consuelo!                    1555
RICO ¡Qué desdicha!
REY                    ¡Qué victoria!
RICO ¡Qué sentimiento!
DISCR.                    ¡Qué alivio!
POBRE ¡Qué dulzura!
RICO                    ¡Qué ponzoña!
NIÑO Gloria y pena hay, pero yo
     no tengo pena ni gloria.                    1560
AUTOR Pues el ángel en el cielo,
     en el mundo las personas
     y en el infierno el demonio
     todos a este Pan se postran;
     en el infierno, en el cielo                    1565
     y mundo a un tiempo se oigan
     dulces voces que le alaben
     acordadas y sonoras.
     *(Tocan chirimías, cantando el «Tantum*
     *ergo»*[78] *muchas veces.)*
MUNDO Y pues representaciones
     es aquesta vida toda,                    1570
     merezca alcanzar perdón
     de las unas y las otras[79].

---

[78] El *Tamtum ergo* es un himno compuesto por Santo Tomás de Aquino para las fiestas del *Corpus*.

[79] Estas palabras finales son simplemente las que correspondían entonces para pedir perdón al público por los yerros de la comedia. Aquí el perdón es doble: para la comedia de la vida, que se representa, y para el auto en que se representa.

*El gran mercado*
*del mundo*

# Nota preliminar a
# «El gran mercado del mundo»

*Fecha*

Este auto parece de la primera época de Calderón. Valbuena Prat le asigna la fecha aproximada de 1635. Valbuena Briones (*Calderón*, I. *Dramas*. Aguilar, 1966, pág. 537) señala que si *El alcalde de Zalamea* representado en 1636 es el de Calderón, hay un paralelismo entre lo que se dice en la comedia y en el auto, en el aspecto formal.

En efecto, en *El alcalde* son bien conocidos estos dos versos:

> DON LOPE  Pues, Crespo, lo dicho, dicho.
> CRESPO  Pues señor, lo hecho, hecho.

Y en el auto se encuentra esta forma paralela:

> MALICIA  lo dicho, dicho, Inocencia.
> INOCENCIA  Malicia, lo hecho, hecho.

*Argumento y simbología del auto*

La estructura de este auto supone una breve introducción y cinco momentos distintos:

En la *Introducción* la Fama, con acompañamiento musical, llama a la gente al Mercado del Mundo para que allí se compren o ferien lo que más les guste. Hay varias invocaciones líricas a la Fama del Buen Genio, la Malicia, el Mal Genio, el Padre de Familias y la Inocencia. Ésta hace el papel de gracioso, corriente en las comedias clásicas, y en su invocación introduce burlas críticas sobre el teatro, como hace Calderón también en otras obras.

*Primer momento*

Se plantea el tema del auto. El Padre de Familias es el Padre del Género Humano, y los hombres que componen éste presentan caracteres psíquicos y morales opuestos como el Buen Genio y el Mal Genio. Predomina el aspecto moral, por inclinación al bien o al mal. La Fama ha dicho que será feliz quien emplee su «talento» (moneda imaginaria que simboliza las facultades) bien o mal, pero hasta el fin no se sabrá el resultado. Los dos Genios van al Mercado para adquirir algo que complazca a Gracia (se trata de la Gracia Divina) a la que quieren conseguir por esposa. El Buen Genio pide sólo un *talento*, esperando conseguir a Gracia por esposa si lo emplea bien. Se opone el Mal Genio, por lo cual riñen. El Padre los amonesta y uno se muestra humilde y otro soberbio. Cuenta el Padre que la Gracia vino al Mundo con su esposo, indicando que se puede inferir quién fue este esposo: «discurrir / podéis quién pudo ser quien / a Gracia trajo tras sí». Pero le dieron muerte sin conocerlo. La alusión a Jesucristo es clara, pues como dice San Juan «el mundo no le conoció». El Padre de Familias añade que va a hacer una prueba: a cada uno de los Genios le dará un *talento* y según lo empleen alcanzarán a Gracia. Ésta les da una rosa a cada uno, significando que a todo hombre se le da, al venir al mundo, la gracia suficiente para merecer por sus obras (la gracia actual, esto es, estar en estado de gracia depende de lo que hagan). Parten los dos, llevando el Buen Genio a la Inocencia como criado y el Mal Genio a la Malicia. En este momento aparece la Culpa, alegando que antes de venir Gracia al mundo la adoración recaía sobre ella. (El hombre, en efecto, estaba en culpa desde el pecado original.) Pero no puede detenerlos y dice que hará lo posible porque no consigan a Gracia, disfrazándose para ello de varias maneras, pues la Culpa es proteica.

*Segundo momento*

La escena se desarrolla en una venta o mesón del camino. El ventero es aquí la Gula y su criada la Lascivia. Como ésta tiene mucho que hacer, contratan como criado a la Culpa, que aparece como mancebo «despejado y hermoso» si bien, como ella misma dice, perdió su hermosura en una «caída». Llegan a la posada el Buen Genio y el Mal Genio, pero el primero no se queda, al darse cuenta de que la Culpa quiere arrebatarle su Inocencia, es decir, su criado. Trata de disuadir al Mal Genio y a la Malicia de que se queden. Pero el Mal Genio se siente atraído por la Lascivia y para llegar a ella tiene que contar con el nuevo criado contratado, esto es, con la Culpa. En este momento advierte que ha perdido la rosa que le dio Gracia, es decir, que ha perdido la Gracia misma al pecar. Pero, teniéndole ya conquistado, a la Culpa no le interesa ya el Mal Genio. Se lo deja a la Lascivia y va en busca del Buen Genio.

*Tercer momento*

El Mundo abre el mercado para ver quién se instala en él. (Es sabido que el Mundo es un personaje frecuente en los autos calderonianos.) El Mundo muestra, como en otros autos, su vanidad. También como en otros autos, la Música actúa como guía o voz correctora: «¡Oh feliz el que emplea / bien sus talentos!» Van llegando los personajes que actúan de mercaderes, en parejas que son un ejemplo más de la antítesis barroca. Así, Soberbia y Humildad; Lascivia y Desengaño del mundo; Gula y Penitencia; Herejía y Fe. Y la misma oposición se da en sus mercancías: así, la Soberbia trae plumas y telas ricas; la Humildad, sayales; la Lascivia, flores; el Desengaño, un espejo en el que, al mirarse, se ve la vanidad de todo. La Culpa viene haciendo de mozo de ciego de la Gula, puesto que ésta hace aquí papel de Apetito y éste es ciego; lo que traen son estampas. La Penitencia trae saco y cilicios; la Herejía, los libros de Calvino y Lutero y la Fe, el pan y vino eucarísticos. La Música llama a todos también en contraposición, pues a unos dice: «que aquí los contentos / y gustos están»; y a otros dice: «que están las fatigas / y penas aquí».

*Cuarto momento*

Se escenifican las compras y ventas en el Mercado. Los dos Genios vienen con sus criados. El Mal Genio nos hace saber que se acuerda poco de Gracia, desde que vio a Lascivia. Los mercaderes presentan y alaban sus mercancías. La Inocencia aconseja al Buen Genio comprar galas, joyas, etc., para su futura esposa, pero éste dice que sólo adquirirá las miserias de la vida. La Culpa, bajo otro disfraz, hace de corredor de comercio en la tienda de la Soberbia para inducir al Buen Genio a comprar allí las joyas y telas ricas. Pero el Buen Genio no las compra porque el precio que le piden es «un pensamiento / de soberbia y vanidad». El Mal Genio claro es que lo acepta, pues con decir que sólo él merece ponerse tales galas, ya ha hecho el pensamiento de soberbia y vanidad. Por contraposición, el Buen Genio adquiere los «sayales groseros» de la Humildad, que paga con un acto de humildad. La Música glosa cada compra, sea buena o mala, con un «norabuena sea». Lo mismo ocurre en las restantes tiendas.

El Mal Genio no compra el espejo del desengaño porque su precio es «un acuerdo de la muerte», lo que el Buen Genio acepta. Del mismo modo, el Mal Genio compra las flores de la Lascivia al precio de una lisonja; el Buen Genio compra a la Penitencia sus cilicios y disciplinas a cambio de «una confesión vocal». En una escena incidental, la Culpa aparece ahora disfrazada de pobre; el Mal Genio no le da limosna pero el Buen Genio sí, lo que da motivo a que la Culpa diga que al menos le ha dado una parte de su talento. Contrarreplica el Buen Genio que propiamente no se lo ha dado a ella, sino al sentimiento de verla necesitada, ya que lo que cuenta es por qué se da y no a quién se da.

En las restantes tiendas el Mal Genio rechaza el Pan y el Vino de la Fe, porque dice que ya los tiene en el mesón de la Gula; en cambio, adquiere los libros de la Herejía; el Buen Genio hace, naturalmente, lo contrario y compra el «pan de los Ángeles». Con motivo de esta compra y de las respuestas que da la Fe, ésta y la Herejía se enzarzan en una disputa sobre la Eucaristía, que es un ejemplo más de las controversias silogísticas de los autos calderonianos. Algunos de los argumentos que aquí se dan aparecen también en la loa del auto *A Dios por razón de estado*.

Han empleado ya sus talentos los dos Genios y regresan; el Mal Genio por el llano para volver a pasar por el mesón de la Lascivia; el Buen Genio «por el desierto». La Malicia se burla de los «trastos» de que va cargada la Inocencia, que es lo que el Buen Genio ha comprado.

Así como al salir, la Culpa aparece y los detiene, así también ahora aparece en compañía de la Gula, disfrazadas ambas de gitanos que cantan y bailan un baile popular. La Gula viene ahora como Placer, y llegan tarde al Mercado porque el Placer «llega tarde y se va presto». Dicen que son «gitanos de los sentidos», porque pueden robar éstos con sus bebidas. El Placer (Gula) vende un caballo (el Pensamiento) y un esclavo (la Culpa). El Buen Genio quisiera comprar el caballo, pero ya no tiene dinero; la Gula se lo fía y le dice que le pague cuando pueda pues, como pensamiento, le puede salir bueno o malo. Quiere que lo monte a pelo, pero el Buen Genio dice que tiene que ponerle «rienda y freno de obediencia», para tenerlo sujeto. Aun comprándoles cosas, vence siempre «la inclinación del Buen Genio». El Mal Genio compra el esclavo, esto es, la Culpa, pues el Placer o Gula necesitan que él se lleve la Culpa. También se lo fían, pero no le fían la condición del esclavo. Se van los dos Genios y se cierra la escena con el mismo baile con el que se abrió.

*Quinto momento*

Es el momento del regreso y del premio o el castigo. La parte es breve. Vuelven a encontrarse en escena la Gracia y el Padre de Familias, que está preocupado tanto por la larga ausencia de sus hijos como por el empleo de los «talentos». Por fin llegan los viajeros, uno por las cumbres y otro por el llano. El Padre de Familias sabe de antemano que los dos corren a ciegas: «uno en sus deleites» y otro «en su pensamiento». Pero el Buen Genio, que monta el caballo del Pensamiento, lo ha domado, ayudado por la Fe y las Virtudes. Se acercan a besar la mano al Padre, pero éste quiere saber antes cómo han empleado los «talentos». Cada uno muestra lo que ha comprado y la sentencia es la esperada: el Buen Genio es el elegido, el heredero; el Mal Genio es el réprobo.

Se les compara, respectivamente, a Abel y Jacob (el Buen Genio) y a Caín y Esaú (el Mal Genio). Éste es precipitado al infierno en compañía de la Culpa (esto es, de *su* culpa). En el escenario se abría un escotillón por el que se veía fuego y por allí se hundían el Mal Genio y la Culpa, mientras que el Padre de Familias se sentaba en un trono celeste en compañía de las Virtudes, ascendiendo a su altura el Buen Genio, esto es, ingresando en la vida bienaventurada. Este auto no tiene propiamente apoteosis eucarística, es decir, la aparición de cáliz y hostia, como en muchos otros autos, sino que alude a ello primero la Gracia y, luego, el Padre de Familias, al decir en los cuatro últimos versos:

> En cuyos ejemplos fundo
> la Gloria del Sacramento,
> de los Genios el Talento
> y el Gran Mercado del Mundo.

## Fuentes

Creo que más que fuentes precisas puede señalarse el tema moral, según la moral cristiana de las Sagradas Escrituras, y en general las «moralidades medievales». Valbuena Prat, en su edición de los autos (en Aguilar, 1952, pág. 223), lo relaciona especialmente con la moralidad francesa *Bien advisé, mal advisé*, y con una obra de Rodrigo Fernández de Rivera titulada *Mesón del Mundo*, publicada en Madrid en 1632 con censura de Lope de Vega. Si es de esta fecha, puede considerarse como coetánea o muy poco anterior al auto, si se acepta la fecha del mismo Valbuena, de modo que resulta difícil decidir si las escenas del auto influyeron o no en la obra de Rivera. También lo relaciona con la *Crisi XIII* de *El criticón* de Baltasar Gracián, que lleva como epígrafe «La feria de todo el mundo».

*Clase y valoración de este auto*

Todos los autores están conformes en que se trata de un auto de tema moral, a lo que Valbuena añade el carácter «realista» de algunas escenas, dentro de lo que puede caber de realismo en una obra simbólica. Alexander A. Parker, en su edición del auto *No hay más fortuna que Dios* (Manchéster University Press, 1949), en una nota que pone al apartado II de su introducción, «El tema y su tratamiento» (pág. XIV, nota 2), completando la afirmación del texto de que el auto por él editado forma parte de «el grupo de autos que dramatizan un tema moral y no un tema dogmático», añade: «Los otros son: *El pleito matrimonial, Los encantos de la Culpa, El gran teatro del mundo, El gran mercado del mundo, El año santo de Roma, El año santo en Madrid* y *Lo que va del hombre a Dios. La cena de Baltasar* pertenece realmente a esta clase, aunque su alegoría le asocia al grupo bíblico de autos historiales.» Aunque algunos de estos autos pueden incluirse también en otros grupos —así, los referentes al Año Santo entre los de temas contemporáneos y *Los encantos de la Culpa* en los de temas mitológicos—, lo seguro es que *El gran mercado del mundo* no es incluible en otro grupo que en los de tema moral.

Por ser de la primera época, no tiene el auto una excesiva complicación teológica o filosófica como *La vida es sueño, El divino Orfeo* o *A tu prójimo como a ti*, ni se alcanzan alturas poéticas como las de otros autos, pero la estructura unitaria, a pesar de los diversos episodios y el enlace de la cuestión planteada al comienzo con el resultado final, muestran ya la maestría de Calderón en la estructura de la obra y en el manejo de los «conceptos representables».

# El gran mercado del mundo

## PERSONAJES

| | |
|---|---|
| EL BUEN GENIO | LA FE |
| EL MAL GENIO | LA HEREJÍA |
| LA MALICIA | LA SOBERBIA |
| LA INOCENCIA | LA HUMILDAD |
| LA GRACIA | EL PADRE DE FAMILIAS |
| LA CULPA | LA PENITENCIA |
| LA FAMA | EL DESENGAÑO |
| LA GULA | LA HERMOSURA |
| EL MUNDO | LA LASCIVIA |
| EL SUSTO | LA MÚSICA |

*Sale la* FAMA, *cantando por lo alto del tablado en una apariencia que pasa de un lado a otro*

FAMA ¡Oíd, mortales, oíd,
y al pregón de la Fama
todos acudid!
MÚSICA *(Dentro.)*
*Y al pregón de la Fama
todos acudid.*                                    5

*Sale el* BUEN GENIO, *con admiración*

BUEN GENIO Pájaro que al firmamento
lleno de lenguas y plumas,

subes con tal movimiento,
que antes que volar presumas,
te dejas atrás el viento.                          10

*Sale la* MALICIA

MALICIA  Ave que llena de galas
rompes altiva y veloz,
del sol las etéreas salas[1],
y parándole a tu voz,
le oscureces con tus alas.                          15


*Sale el* MAL GENIO

MAL GENIO  Prodigio de asombro tanto,
que al cielo el penacho encumbra,
cuyo bellísimo encanto
con la vista nos deslumbra,
nos suspende con el canto.                          20
GRACIA  Monstruo, que con las supremas
regiones las plumas bates,
y sin que aire y fuego temas,
las hielas si las abates,
y si las alzas, las quemas.                          25


*Sale el* PADRE DE FAMILIAS

PADRE  Vivo bajel, que desmayos
das al aire, a quien te entregas,
y abriles sembrando y mayos,
golfos de átomos navegas,
piélagos surcas de rayos.                          30

---

[1] *salas:* En Pando dice *alas*, pero es evidente errata pues vuelve
a decir *alas*, en rima, cuando se refiere a las aves.

*Sale la* INOCENCIA

| | |
|---|---|
| INOCENCIA | Pajarote, que con lazos |
| | de cera y cáñamo apoya[2] |
| | tu vuelo, y en breves plazos, |
| | si te caes de la tramoya |
| | te harás cuatro mil pedazos. 35 |
| BUEN GENIO | ¿Qué trofeo es el que adquieres? |
| MAL GENIO | ¿Adónde vas de esos modos? |
| MALICIA | ¿Qué solicitas? |
| GRACIA | ¿Quién eres? |
| INOCENCIA | ¿Qué miedo llevas? |
| PADRE DE F. | ¿Qué quieres? |
| FAMA | Que me estéis atentos todos. 40 |
| | *(Cantan.)* |
| | *¡Oíd, mortales, oíd,* |
| | *y al pregón de la Fama* |
| | *todos acudid!* |
| MÚSICA | *Y al pregón de la Fama* |
| | *todos acudid.* 45 |
| FAMA | *(Canta.)* |
| | *En la gran plaza del Mundo* |
| | *del monarca más feliz,* |
| | *hoy se hace un mercado franco;* |
| | *todos a comprar venid.* |
| | *¡Oíd, oíd,* 50 |
| | *y al pregón de la Fama* |
| | *todos acudid!* |
| MÚSICA | *Y al pregón de la Fama* |
| | *todos acudid.* |

---

[2] Sintácticamente debería ser *apoyas*, con el verbo en 2.ª persona como en los demás casos; pero la rima pide *apoya*, puesto que va rimado con *tramoya*, que no se emplea en plural generalmente. Acaso podría ser «apoya/*su* vuelo», aunque los demás verbos vayan en 2.ª persona. Pero el texto de Pando lo trae como lo reproducimos. Hay que tener en cuenta que la Inocencia hace papel de gracioso, al que siempre se le toleran incorrecciones de lenguaje.

FAMA   *(Canta.)*
       *En él se vende de todo;*       55
       *pero atended, y advertid*
       *que el compra bien o mal*
       *no lo conoce hasta el fin.*
       *¡Oíd, oíd,*
       *y al pregón de la Fama*       60
       *todos acudid!*

MÚSICA   *Y al pregón de la Fama*
       *todos acudid.*

TODOS   Buena nueva.

PADRE DE F.            Mala nueva.

  *(Cúbrese la apariencia de la* FAMA.*)*

MAL GENIO   Pues ¿por qué, Padre, nos di[3],   65
       no es buena nueva llegar
       de la veloz Fama a oír
       que hoy hace un mercado el Mundo
       franco, donde puedan ir
       los Genios a comprar cuanto   70
       necesiten para sí?

PADRE DE F.   Porque también de la Fama
       en ese pregón oí
       que vende el Mundo de todo,
       y sólo será feliz   75
       quien su talento empleare
       bien o mal; se ha de advertir
       que dijo que el bien o el mal
       no se conoce hasta el fin.

INOCENCIA   Otra razón diera yo   80
       mucho mejor que esa.

TODOS            Di.

INOCENCIA   Que no importará que venda
       el Mundo cuanto haya si
       no hay en todo el Mundo quien

---

[3] *nos dí*, pronombre antepuesto al imperativo, como era entonces usual.

|                | tenga dos maravedís. | 85 |
| BUEN GENIO | Padre de familia eres, | |

BUEN GENIO Padre de familia eres,
    cuyo caudal competir
    puede con cuantos monarcas
    ve el sol, desde que a lucir
    corre el pabellón de nieve   90
    la cortina de carmín
    hasta que, después de haber
    elevádose al cenit,
    desciende al húmedo albergue
    del contrapuesto nadir.   95
    Tus hijos somos los dos;
    nunca has querido partir
    la hacienda, ni darnos nuestras
    legítimas, por decir
    que has de hacer un mayorazgo   100
    en el vuestro; y siendo así,
    que los dos nacimos juntos
    sin saber, sin advertir
    cuál fuese el mayor, nos tienes
    no declarado hasta aquí   105
    a cuál has de reprobar
    ni a cuál has de preferir.
    Yo, pues, que siempre a mi hermano,
    ventajas reconocí
    en sus méritos, con estas   110
    nuevas dar quiero un sutil
    medio que a los tres componga:
    a ti, a mi hermano y a mí,
    sin que él se pueda enojar
    de que mejorado fui   115
    yo en la partición, ni yo
    de que él lo fuese; y, en fin,
    contentos los dos, podrás
    tú el deseo conseguir
    de fundar el mayorazgo,   120
    sin la pena de elegir
    entre tus hijos.

PADRE DE F.                    ¿Y cómo
                eso puede ser?
BUEN GENIO                    Así.
                Dame un talento[4] no más,
                y yo renunciaré aquí                      125
                el derecho de tu herencia
                en mi hermano, porque ir
                quiero con él al mercado
                y empíearle en su gentil
                plaza: con tal condición,                 130
                que si le gastare allí
                tan bien que sepa con él
                tantos bienes adquirir
                que vuelva rico a tus ojos,
                me has de entregar por feliz              135
                esposa a Gracia, esa bella
                serrana, que a competir
                vino con el sol a rayos,
                y a flores con el abril,
                a estos montes extranjera                 140
                de otro más bello país.
MAL GENIO  Con esa condición no
                me puede estar bien a mí
                la renunciación, porque
                no puedo yo desistir                      145
                de la acción de ser esposo
                de Gracia, si para mí,
                en precio de su hermosura,
                sus venas sangrase Ofir[5],
                si viese agotar el mar,                   150
                y su seno azul turquí
                me franquease los tesoros

------

[4] Moneda antigua imaginaria, que equivalía en Grecia a 60 minas y en Roma a cien ases.
[5] Esto es, como si sangrasen oro, pues Ofir era una región (no precisable) a la que iban los marineros de Hiram y Salomón para traer oro y mercancías preciosas, partiendo de Asiongabes en el Mar Rojo. (Ver *Reyes*, I, 9, 26-28; 22, 49 y *Paralipómenos*, II, 8, 18.)

que ha tantos siglos que allí,
inútilmente perdidos,
a nadie pueden servir.                                    155

BUEN GENIO  Siempre has[6] sido opuesto mío;
en mi vida discurrí
en cosa que no te hallase
contrario.

MAL GENIO               Si el competir
no puede hacerlo uno solo,                                160
no me des la Culpa a mí,
pues es de todos la culpa.

BUEN GENIO  No es, que tu condición…

MAL GENIO                              Di.

BUEN GENIO  No lo hace por amar,
sino por contradecir.                                     165

MAL GENIO  Yo quiero a Gracia; y pues tú
no me puedes preferir[7]
en méritos, que este solo
conocimiento debí
a tu discreción, bien puedes                              170
olvidarla desde aquí,
pues ya una vez declarado
no he de poderte sufrir
en competencia.

BUEN GENIO                      Que en partes
yo no te iguale, es así;                                  175
pero en el amor te excedo,
y no es posible rendir
a partido la esperanza.

MAL GENIO  Yo haré, villano, que sí;
que si eres fingido Abel,                                 180
soy verdadero Caín.
*(Saca un puñal, y se pone el* PADRE
*en medio.)*

---

    [6] El texto dice *ha*, pero el sentido pide *has*, si, como indica el
*te hallase*, del verbo siguiente, se dirige directamente a su hermano.
    [7] *preferir*, en el sentido de «aventajar», ir por delante.

| PADRE DE F. | ¿Qué es esto? ¿Pues no miráis, | |
| | villanos, que estoy yo aquí? | |
| MAL GENIO | ¿Qué importa que estés? | |
| BUEN GENIO | Perdona, | |
| | *(Arrodillándose.)* | |
| | señor si pesar te di. | 185 |
| GRACIA | Uno humilde, otro soberbio, | |
| | compiten los dos por mí; | |
| | fácil es de conocer | |
| | el que me ha de conseguir. | |
| PADRE DE F. | Detente, tú; tú, levanta, | 190 |
| | y atentos los dos oíd: | |
| | hijos, ya que declarada | |
| | está la guerra civil, | |
| | (estorbar me importa que | |
| | no sea el segundo jardín | 195 |
| | teatro, como el primero, | |
| | de una tragedia infeliz), | |
| | Gracia, que en mi confianza | |
| | hoy vive y ha de vivir | |
| | eternamente, es, y ha sido, | 200 |
| | más de lo que presumís, | |
| | porque aun no la encareciera | |
| | diciendo que emperatriz | |
| | es del imperio mayor | |
| | que cubre ese azul viril[8], | 205 |
| | por cuantos rumbos el sol | |
| | huella campos de zafir | |
| | desde que topacio nace | |
| | hasta que muere rubí | |
| | (aqueste valle, que es valle | 210 |
| | de lágrimas, donde fui | |
| | Padre de Familias yo[9], | |

---

[8] *viril:* es el cristal que cubre la Sagrada Forma en la custodia. «Azul viril» es, naturalmente, el cielo.

[9] Con este nombre aparece también en el auto *La viña del Señor*. La expresión se encuentra en la parábola de los viñadores *(Mateo, 21, 33-42).*

siendo en todo su confín
el género humano) vino
con su esposo, discurrir                    215
podéis quién pudo ser quien
a Gracia trajo tras sí.
Disfrazado entró en el valle,
solamente por cumplir
una promesa que hizo                        220
a la casa de David.
Viéndole, pues, encubierto
de este nuestro sayal vil,
le dieron muerte traidores,
sin conocerle (¡ay de mí!)                  225
que no sin llorar los ojos
lo puede la voz decir.
Quedó Gracia en mi poder
disfrazada, porque, en fin,
quien a él le desconoció                     230
era fuerza (¡ay infeliz!)
que a ella también (¡qué desdicha!)
desconociese; y así,
a Ley de Gracia la vemos
ilustraros y lucir                          235
los montes de nuestro valle,
serrana y más serafín [10].
Dejemos en este estado
sus fortunas, que acudir
quiero a la lid de los dos                   240
por componeros la lid.
El género humano soy,
Padre de Familias, sí,
pues sustento cuantos ve
nacer el día y morir.                        245

---

[10] La Ley de Gracia, traída por Jesucristo, al que claramente
se alude en los párrafos anteriores, desde «discurrir», aparece en
la figura pastoril de una serrana, pero, como aquí se dice, más
que serrana es «serafín», una de las más altas jerarquías angélicas.

Entre ellos los dos nacísteis,
y yo, que a un tiempo me di
a las ciencias, hacer quise
una experiencia sutil
de vuestros hados[11], leyendo          250
en ese hermoso matiz
de quien la luz es pincel,
de quien la sombra es buril,
vuestros genios, y en los dos
hallé tan dudoso fin,                   255
que uno Buen Genio, otro Malo,
en mi estudio os advertí.
Ésta es la causa por qué
no me he atrevido a elegir
heredero de mi hacienda                 260
hasta ver, hasta advertir,
cuál de los dos (procediendo
en el modo de vivir)
por si desmerecerá
o merecerá por sí                       265
el mayorazgo; y pues hoy
vuestra competencia vi,
hacer experiencia quiero
de los dos para que, así,
ni uno tenga que estimar                270
ni otro tenga que sentir.
Gracia ha de ser de quien sólo
la merezca conseguir
por sus obras; los dos, pues,
al gran mercado habéis de ir            275
del Mundo, talento igual
daré a los dos, y advertid
que el que mejor lo empleare

---

[11] La creencia en los hados, señalada por las estrellas, era corriente
en aquel tiempo. Calderón recoge la creencia, pero supone siempre
que el libre albedrío humano puede no eliminar, pero sí vencer
al hado, como se ve claramente en la comedia *La vida es sueño*.

y vuelva después aquí
con más adquiridos bienes,                    280
esposo será feliz
de Gracia, y no solamente
mi heredero; mas oíd
lo que os advierto: heredero
será de su reino; así,                        285
emplead bien el caudal
porque al que viere venir
disipador del talento
que para ganar le di,
cerrada hallará la puerta,                     290
y que hallaréis, advertid,
bien y mal, y mal y bien
no se conoce hasta el fin. *(Vase.)*

MAL GENIO   Ufano y desvanecido
con el partido me dejas.                       295

BUEN GENIO  A mí, no, que antes mis quejas
se aumentan con el partido.

GRACIA   ¿Por qué tanto aliento cobras
tú con esa condición?

MAL GENIO   Porque espera mi ambición            300
merecerte por mis obras.

GRACIA   Y tú, ¿por qué de esa suerte
das al viento la esperanza?

BUEN GENIO  Porque mi desconfianza
nunca aguarda merecerte.                       305

MAL GENIO   Algún favor, Gracia, espero
para partir.

GRACIA                    Sí daré. *(Dale una rosa.)*
Que yo a ninguno negué
mi favor

BUEN GENIO          Siendo así, quiero
pedirte otro para mí.                          310

GRACIA   Igual que a él ha de ser[12].

---

[12] A todo hombre se le da la Gracia suficiente: pero la actual
ha de merecerla por sus obras.

                    *(Dale otra rosa.)*
BUEN GENIO  En fin, ¿tu favor nos das
            sin merecerlo?
     GRACIA              Sí doy,
            que por eso Gracia soy;
            porque si lo mereciera          315
            el hombre, justicia fuera
            y no gracia; y así, os doy
            aqueste favor primero,
            porque pueda vuestro ser
            ir con él a merecer             320
            el segundo, con que espero
            premiaros, después que yo
            quiera Dios que al hombre ofrezca
            un favor, porque merezca,
            y otro porque mereció,          325
            que aun en lo que es Gracia funda
            su justicia de manera
            que ayuda con la primera
            y premia con la segunda;
            y así, id los dos al mercado,    330
            y pues mi favor lleváis,
            mirad bien cómo empleáis
            el talento que os he dado;
            y ya que en concierto tal
            vuestros afectos se ven,         335
            y allá hay del mal y del bien,
            traed el bien, dejad el mal. *(Vase.)*
BUEN GENIO  Pues ya nuestra competencia
            a conciertos ha venido
            que vamos [13] juntos te pido.   340
MAL GENIO   No he de tener yo paciencia
            para sufrirte; y así
            mira qué camino quieres
            tomar, porque donde fueres
            no he de ir yo; y también me di   345

---

[13] *vamos*, por «vayamos», como en otros casos.

|              | que criado has de llevar, |     |
|              | porque lleve otro criado. |     |
| BUEN GENIO   | Yo de lo áspero me agrado |     |
|              | del monte, aunque den pesar |     |
|              | sus abrojos a mis pies. | 350 |
| MAL GENIO    | Pues yo me iré por el llano |     |
|              | gozando el fresco verano. |     |
| BUEN GENIO   | La Inocencia escojo, pues, |     |
|              | para que vaya conmigo. |     |
| INOCENCIA    | ¿A mí? |     |
| BUEN GENIO   | Sí. |     |
| INOCENCIA    | El primero eres | 355 |
|              | que para tuyo me quieres. |     |
| MAL GENIO    | Buen camarada y amigo |     |
|              | llevas; si su parecer |     |
|              | en lo que compras te da, |     |
|              | bueno el empleo será. | 360 |
| INOCENCIA    | Pues ¿por qué no lo ha de ser? |     |
| BUEN GENIO   | ¿A quién quieres tú llevar? |     |
| MAL GENIO    | Divertimientos codicia |     |
|              | mi pensamiento. ¿Malicia? |     |
| MALICIA      | ¿Qué? |     |
| MAL GENIO    | Tú me has de acompañar. | 365 |
| MALICIA      | Sí haré, y de muy buena gana, |     |
|              | que todos mis gustos fundo |     |
|              | en ver la plaza del Mundo. |     |
| BUEN GENIO   | ¡Ay bellísima serrana, |     |
|              | tarde merecerte espero! | 370 |
| MAL GENIO    | Yo, presto. |     |
| BUEN GENIO   | Adiós, pues. |     |
| MAL GENIO    | Adiós. |     |

(*Al irse a entrar los dos* GENIOS, *les sale
al paso la* CULPA, *vestida de villano.*)

| CULPA        | Esperad, no os vais[14] los dos |     |
|              | sin que me escuchéis primero. |     |
|              | Hijos del género humano, |     |

---

[14] *vais*, por «vayáis», como en la nota anterior.

gran Padre de Familias, 375
Genios del hombre, que sois
inclinaciones distintas,
pues a la plaza del Mundo
a examinar os envía
para ver quién su talento 380
lo emplea o lo desperdicia,
y a quién deba hacer después
heredero de la Viña
del Señor[15] y digno esposo
de Gracia, dejad que os diga, 385
primero que os ausentéis,
causas que tengo precisas
para sentir de los dos
los engaños, las malicias
en que me dejáis, muriendo 390
de amor, de celos y envidia.
Yo, antes que al valle viniera
esa beldad peregrina
(no tanto por su hermosura,
su gala y su bizarría, 395
cuanto por venir a él
peregrinando en desdichas
de otros montes a estos valles,
extraña y advenediza),
¿no fui de vuestros amores 400
la deidad, a quien rendida
ofreció la libertad
sus finezas y caricias?
¿Qué tronco hay en todo el valle
que en sus cortezas no escriba 405
mi nombre, diciendo alguno
más que otros en sus cifras?
Vegetariano padrón
soy, que en el confuso enigma
de este carácter repito 410

---

[15] Es el título del auto aludido en la nota 9.

el tema: la Culpa viva.
¿Pues por qué teniendo yo
la posesión conseguida
(en los aplausos del valle,
que en mi deidad sacrifican                415
las libertades tan presto,
que no hay criatura nacida
que de mis amores no
muera primero que viva)
en servicio de otra esposa,                420
uno y otro afecto olvida
mi hermosura?

BUEN GENIO                    ¡Calla!
MAL GENIO                        ¡Calla!
BUEN GENIO No prosigas.
MAL GENIO                    No prosigas.
BUEN GENIO Culpa, que al oír tu voz...
MAL GENIO ...que al mirar, Culpa, tu vista...          425
BUEN GENIO ...el nuevo propuesto [16] mío...
MAL GENIO ...la nueva esperanza mía...
BUEN GENIO ...mudo en el pecho se queda...
MAL GENIO ...sorda en el alma se irrita.
BUEN GENIO Verdad es (¡con qué vergüenza        430
             me permite que lo diga
             el dolor!) que fuiste dueño
             de mi libertad cautiva.
MAL GENIO Verdad es (no me embarazo
             en que la voz lo repita)                435
             que te quise.
BUEN GENIO                Pero ya
             que otra beldad solicita
             mi amor...
MAL GENIO              Pero ya que a más
             alto empleo mi fe aspira...
BUEN GENIO ...eres basilisco [17] que                440
             me matas cuando me miras.

---

[16] *propuesto*, es lo mismo que «propósito».
[17] *basilisco*, animal fabuloso, del que se creía que mataba.

MAL GENIO    …eres áspid que entre flores
             mortales venenos vibras.
BUEN GENIO   Eres astuta serpiente
             que con rostro humano hechizas.    445
MAL GENIO    Eres víbora, que muerdes
             la fruta con que me brindas.
BUEN GENIO   Y así, huiré de tus halagos…
MAL GENIO    Y así huiré de tus caricias…
BUEN GENIO   …donde pretenda mi amor.          450
MAL GENIO    …donde mi afecto consiga.
BUEN GENIO   …sin que tus voces me muevan…
MAL GENIO    …aunque tu mal me lastima…
BUEN GENIO   …ser de Gracia eternamente.
MAL GENIO    …tener a Gracia por mía. *(Vanse.)*   455
CULPA        ¡Ay de mí! ¿Qué es esto, cielos?
             ¿Qué pasa por mí? ¿Mi altiva
             vanidad, mi presunción
             tan postrada, tan rendida
             yace; y aquí de las aras            460
             que encendió su idolatría
             en mi pecho dura el fuego
             y en los suyos las cenizas?
             Los galanes de este valle
             de lágrimas, que solían             465
             darme adoración, me dejan
             despreciada y ofendida,
             después que su esposo ha muerto,
             en él Gracia hermosa habita.
             Pero ¿qué importa, qué importa       470
             que la libertad la rindan
             los dos hijos de los Genios
             del Gran Padre de Familias
             que son las inclinaciones
             que dentro del hombre lidian[18],    475

con la vista. En la Biblia aparece en *Salmos*, 91, 13 y en *Isaías*, 30, 6.
(En algunas traducciones aparece como «dragón volador».)
   [18] Los *Genios*, según aquí se declara, personifican el carácter
psicológico-moral del hombre, en cuanto son sus «inclinaciones»

si aunque los dos la pretendan,
la adoren, la amen, la sirvan,
si no es con perfectas obras,
no es posible que consigan
más que el primero favor                        480
de su hermosura divina?
Y yo haré que no lo sean,
turbando desde este día
sus acciones, y también
ella las tenga por dignas                        485
del segundo, y las desprecie,
viendo que ambos desperdician,
en el mercado, el talento
que el Padre a cada uno libra.
Para esto, pues, soy la Culpa,                   490
y por esta razón misma
la mentira, pues nació
la culpa de la mentira;
en varias formas mudada,
en varios trajes vestida,                        495
veré si de sus empleos
las elecciones peligran,
de suerte que nunca puedan
ser de la Gracia bien vistas.
El nombre que he de tomar                        500
(pues es corriente doctrina,
porque la oposición tengo
cuantos a Dios se le aplican)
será Piedra; que si él
la piedra preciosa y rica                        505
es fundamental, y a mí
escándalo me apellidan
doctores, seré la piedra

----

(aspecto psíquico) y en cuanto pueden ser «buenos o malos» (aspecto moral), si bien este segundo aspecto depende del libre albedrío, que puede dirigir, reprimir o modificar las propensiones naturales. Ya en Heráclito aparece este aforismo: «el caracter moral *(ethos)* para el hombre es su espíritu» (en griego, *daimon)*.

del escándalo y la ruina[19].
Malas costumbres sembrar                    510
solicito en cuantos vivan,
urdiendo telas de engaños
de que los hombres se vistan;
con que mi nombre será,
mas no importa que lo diga,                  515
que de Piedra, y de urdir malas
costumbres, ello se explica.
Veré si mi maña puede,
en la plaza introducida
del Mundo, vengar los celos                  520
que me ahogan, las desdichas
que me afligen, los rencores
que me matan, las envidias
que en el corazón me muerden,
áspides cuyas salivas                        525
son las lágrimas que lloran
mis ojos, son las novicias
ponzoñas que aborta el pecho
y que el corazón respira.
Yo soy Piedra (¡el mundo tiemble!);         530
a urdir voy (¡el cielo gima!)
malas costumbres (¡mortales!);
rayos mis enojos vibran,
fuego mis labios arrojan,
llamas mis voces fulminan;                   535
temblad, temblad de mis rabias;
temed, temed de mis iras. *(Vase.)*

*Salen la* GULA, *vestida de ventero, y la* LASCIVIA,
*de criada*

---

[19] Si Dios es nombrado Piedra preciosa, ella será Piedra de escándalo. Frente a la Piedra fundamental sobra la que está edificada la Iglesia, según la palabra de Cristo, la Culpa quiere ser Piedra de escándalo, como la llaman algunos Doctores de la Iglesia, pues su nombre se opone en todo a los nombres divinos.

| | | |
|---|---|---:|
| GULA | Lascivia, ¿están puestas, di, | |
| | las mesas para que tengan | |
| | dónde comer cuantos vengan | 540 |
| | del Mundo al mercado? | |
| LASCIVIA | Sí. | |
| GULA | Día es hoy de forasteros; | |
| | la ganacia está segura, | |
| | pues mi Gula y tu hermosura | |
| | malsanos y sin dineros | 545 |
| | los enviarán. | |
| LASCIVIA | A ese fin | |
| | te sirvo, pues nadie pasa | |
| | que no pare en esta casa | |
| | de Gula por el confín | |
| | que pusiste en monte y llano, | 550 |
| | porque por ningún camino | |
| | venga al Mundo peregrino | |
| | que aquí no haga venta. | |
| GULA | Es llano, | |
| | porque nadie sin comer | |
| | al Mundo puede pasar | 555 |
| | a tratar y contratar | |
| | en su mercado. | |
| LASCIVIA | Temer | |
| | puedo una cosa no más. | |
| GULA | ¿Qué es? | |
| LASCIVIA | Que sola en casa estoy, | |
| | y por manos que me doy | 560 |
| | no puedo acudir jamás | |
| | a todo; y más si a advertir | |
| | llego a otros, sean quien fueren | |
| | Gula y Lascivia, más quieren | |
| | ser servidos que servir. | 565 |
| GULA | Es así, y recibiré | |
| | entre la gente que acude | |
| | un criado que te ayude. | |

*Sale la* CULPA, *vestida de mozo de mesón*

| | |
|---|---|
| CULPA | Paz sea aquí; ahora escuché, |
| | en ese umbral arrojado, 570 |
| | donde cansados los bríos |
| | me eché, la falta, amos míos, |
| | que hace a los dos un criado; |
| | y porque pienso que yo |
| | servir a los dos sabré, 575 |
| | que bien todo el arte sé |
| | venteril[20], me pareció |
| | daros parte de mi intento, |
| | porque un dueño que tenía |
| | pasó adelante este día 580 |
| | y me dejó sin aliento, |
| | ufano, pobre y cansado; |
| | y así, me es fuerza elegir |
| | otro modo de vivir. |
| GULA | El mancebo es despejado. 585 |
| LASCIVIA | Y hermoso. |
| CULPA | Bástame aquello; |
| | no lo hagáis vos sospechoso, |
| | despejado vaya; hermoso, |
| | no quiero venir en ello |
| | porque ya sé que perdí 590 |
| | la hermosura que tenía |
| | desde aquel infeliz día |
| | que una gran caída di. |
| | En efecto, si queréis |
| | que os sirva, bien pienso yo 595 |
| | que os agrade, porque no |
| | será posible que halléis |
| | más a propósito vuestro |
| | criado para la venta; |
| | porque sé hacer una cuenta, 600 |
| | que engaño al hombre más diestro. |
| | Sólo por una manzana |
| | que a un hombre le vendí yo, |

---

[20] *venteril*, adjetivo que imita los de Cervantes. Las alusiones al *Quijote* son frecuentes en Calderón.

120

                casa y familia dejó
                en empeño, y cosa es llana                605
                que tengo para otra cosa
                que a vos es perteneciente,
                porque hasta una serpiente
                hice parecer hermosa[21];
                Gula y Lascivia, de mí                   610
                os fiad, que os serviré;
                y más ganacia os daré
                en un día, que hasta aquí
                habéis tenido en mil años,
                porque no ignoro los modos             615
                que se han de tener con todos
                sirviendo vuestros engaños:
                al noble, con vanidad;
                al soberbio, con grandeza;
                al mercader, con limpieza;               620
                al pobre, con voluntad;
                al rico, con alabanza;
                al ministro, con secreto;
                con lisonjas al discreto;
                al triste, con esperanza;                625
                con aplauso, al liberal;
                al avaro, con desdén;
                al casto, hablándole bien;
                tratando al lascivo mal,
                y al necio; pero con nada                630
                se puede hacer de él aprecio,
                porque no ha de darse al necio
                mas que la paja y cebada.
        GULA    Digo que me has agradado,
                y que quiero que te quedes               635
                en casa.

---

[21] Como se viene notando, la Culpa se identifica, en este auto,
con el Demonio tentador del Paraíso, mientras, en otros autos,
Culpa y Demonio son dos personajes distintos. Diríamos que aquí
la Culpa está objetivada, mientras en otros casos aparece como
culpa subjetiva del hombre o del género humano.

| | |
|---|---|
| LASCIVIA | Y en ella puedes |
| | ser más dueño que criado, |
| | porque desde que te vi |
| | me abraso en mi mismo fuego. |
| CULPA | Luego nos veremos. |
| LASCIVIA | Luego. 640 |
| | Ya me has entendido. |
| CULPA | Sí. |
| GULA | ¿Cómo te llamas? |
| CULPA | No sé. |
| | pero Pedro has de llamarme. |
| LASCIVIA | Pedro, el alma has de costarme. |
| CULPA | Si ya es mía, ¿para qué 645 |
| | me haces de ella ofrecimiento? |
| INOCENCIA | *(Dentro.)* ¿No pararemos aquí, |
| | señor, un instante? |
| BUEN GENIO | Sí. |
| GULA | Ruido en el camino siento. |
| LASCIVIA | Caminantes van llegando. 650 |
| CULPA | Y de dos que espero yo, |
| | uno es el que en casa entró. |

*Salen el* BUEN GENIO *y la* INOCENCIA *de camino*

| | |
|---|---|
| BUEN GENIO | ¿Habrá posada? |
| GULA | ¿Pues cuándo |
| | faltó a ningún caminante |
| | en la casa de la Gula? 655 |
| INOCENCIA | Cuando sin dinero y mula |
| | dice que pase adelante, |
| | porque no puede comer |
| | lo que quiere |
| GULA | Esos rigores |
| | no se usan aquí, señores; 660 |
| | vuestro cuarto ahí ha de ser. |
| LASCIVIA | ¿Venís a pie? |
| BUEN GENIO | Y muy cansado. |

| | |
|---|---|
| CULPA | Miren que mucho, si a fe |
| | habiendo venido a pie, |
| | ¿haos²², por ventura, faltado 665 |
| | en qué venir? |
| BUEN GENIO | No, que así |
| | sólo por mi gusto ando, |
| | por venir peregrinando |
| | del Mundo al mercado. |
| GULA | Aquí |
| | podéis descansar los dos. 670 |
| | Voy a que un cuarto se os abra; |
| | comeréis. (Vase.) |
| INOCENCIA | Esa palabra |
| | está gozando de Dios. |
| LASCIVIA | Y así en habiendo comido |
| | quisiérades descansar, 675 |
| | de jazmín, clavel y azahar |
| | tendréis un catre mullido. |
| BUEN GENIO | ¡Qué hermosura! ¿Quién será, |
| | beldad, que así arrebató |
| | mis sentidos? |
| INOCENCIA | Qué sé yo. 680 |
| CULPA | Llegue yo, pues duda ya; |
| | oíd: con alguna disculpa, |
| | yo haré que esta mi señora |
| | entre en vuestro cuarto. |
| BUEN GENIO | Ahora |
| | conozco quién eres, Culpa, 685 |
| | porque aunque mudes de traje, |
| | no mudas de inclinación, |
| | y de mi afecto no son |
| | ni esa voz ni ese lenguaje. |
| | Inocencia, huye de aquí. 690 |
| CULPA | Oye. |
| BUEN GENIO | Sabiendo quién eres, |
| | no he de esperar: ven. |

²² *haos*, «os ha», pronombre pospuesto.

| | |
|---|---|
| INOCENCIA | ¿No quieres descansar? |
| BUEN GENIO | Yo, no. |
| INOCENCIA | Yo, sí. *(Siéntase.)* |
| BUEN GENIO | Mira que aquí hay que temer. |
| INOCENCIA | También aquí hay que almorzar.    695 |
| BUEN GENIO | Hoy es día de ayunar. |
| INOCENCIA | Hagámosle de comer. |
| BUEN GENIO | Vamos de aquí, no blasone |
| | casa, que de vicios es, |
| | que en ella puse los pies.    700 |
| INOCENCIA | Miren que falta le pone. |
| LASCIVIA | Sosegaos. |
| BUEN GENIO | ¿Cómo puedo? |
| | Ven, Inocencia, conmigo. |
| INOCENCIA | Harto a mi pesar te sigo. |
| CULPA | Pues quédate. |
| INOCENCIA | Ya me quedo.    705 |
| CULPA | A descansar. |
| INOCENCIA | Yo sí haré. *(Siéntase.)* |
| BUEN GENIO | No harás tal. |
| INOCENCIA | ¡Ay, que me mata! |
| BUEN GENIO | Que no has de decir, ingrata, |
| | que mi Inocencia dejé |
| | en tu poder. Vamos presto.    710 |
| CULPA | Llevarle[23] intentas en vano. *(Tiran los dos de él.)* |

*Salen el* MAL GENIO, *de gala, y la* MALICIA

| | |
|---|---|
| INOCENCIA | ¡Ay! |
| MAL GENIO | ¿Qué es esto? |
| BUEN GENIO | Escucha, hermano, |
| | que yo te diré qué es esto. |

---

[23] La Inocencia es un criado, esto es, un personaje masculino. Por esto dice «llevarle».

De aquel soberbio Nembroth[24]
de quien Dios venganza toma,                    715
éste es fuego de Sodoma[25],
de quien yo huyendo voy;
no te pares; su castigo
teme, que yo no me atrevo
a esperarte, ya que llevo                        720
a mi Inocencia conmigo. *(Vanse.)*

MAL GENIO  No lo entiendo.
LASCIVIA                    Iras el pecho
brota viéndome dejar.

CULPA  Esto es, que por no pagar
la costa que en casa ha hecho,                   725
del enojo se ha valido.

MAL GENIO  Muy mal la cólera os mueve,
que yo os daré lo que debe
ya que a este tiempo he venido.

MALICIA  Es muy liberal, haced                   730
que mesa se le prevenga
y muy bien que comer tenga.

LASCIVIA  Que os serviremos creed,
y daros comida espero,
que la pueden envidiar                            735
las mesas de Baltasar
y los banquetes de Asuero[26];
limpia cama aderezada,
y ropa tendréis después,
con las calidades tres                            740
de blanca, blanda y delgada.

MAL GENIO  ¿Después de eso, si os obligo

---

[24] *Nembroth*, es el *Nemrod* bíblico, personaje central de *La torre de Babilonia*. (Véase el capítulo 10 del *Génesis*.)

[25] El castigo de Sodoma y Gomorra por sus pecados figura en *Génesis*, 18 y 19.

[26] La alusión a los banquetes bíblicos es frecuente en Calderón. El de Baltasar figura en *Daniel*, 5. Los de Asuero (que es el rey Jerjes I de Persia), son varios, y se encuentran en Esther, I, 1,6-9; 2,18 y 7,7.

con deciros que ya os quiero,
veréisme vos?

CULPA                    Caballero,
eso se ha de hablar conmigo.                    745
Entrad, que palabra os doy
de que cuanto deseáis
en esta casa tengáis,
o no seré yo quien soy.

MAL GENIO   Esto a mi agradecimiento                    750
primer indicio será.

CULPA   Albricias, infierno; ya
tengo parte en un talento.

MALICIA   ¿Señor?

MAL GENIO              ¿Qué me quieres?

MALICIA                              No has
reparado en que esté aquí                    755
la Culpa?

MAL GENIO              ¿La Culpa?

MALICIA                          Sí.
¿No la ves?

MAL GENIO              ¡Qué loco estás!
¿Eso habías de pensar?
No en vano Malicia eres,
pues que esté la Culpa quieres                    760
en comer y descansar;
mas ¡ah, infeliz!

MALICIA                      ¿Qué ha sido?
¿Qué es lo que buscas, señor?
*(Busca la rosa que le dio la* GRACIA.*)*

MAL GENIO   Que en el camino el favor
de Gracia se me ha perdido. *(Vanse.)*  765

CULPA   Este no me ha conocido,
pues a pensar no ha llegado
que hay culpa en haber deseado;
con que el favor ha perdido.
Lascivia, ese forastero                    770
tuyo es, síguele, que yo
no puedo vivir si no

|          | voy tras el que entró primero. |     |
| LASCIVIA | ¿Luego para esto has venido |       |
|          | solamente a la posada? | 775 |
|          | | |
| CULPA    | Sí, que yo haré poco o nada | |
|          | en asistir al rendido; | |
|          | al que rendir procuré, | |
|          | y no pude, es al que yo | |
|          | he de seguir; y así, no | 780 |
|          | hay, Lascivia, para qué | |
|          | esté aquí, que si venció | |
|          | primero a la mujer bella | |
|          | la Culpa, y al hombre ella, | |
|          | quedando tú, no hago yo | 785 |
|          | falta, que en tu proceder | |
|          | tiene mi ausencia disculpa, | |
|          | que no hace falta la Culpa | |
|          | donde queda una mujer. | |

LASCIVIA  Espera.

CULPA          No he de esperar.   790

LASCIVIA  Advierte.

CULPA        Suelta.

GULA              ¿Qué es esto?

LASCIVIA  Pedro quiere irse.

                    ¿Tan presto,
Pedro, nos quieres dejar?

| CULPA | Impórtame ir al mercado, | |
|       | tras un hombre que allá va, | 795 |
| GULA  | Todos hemos de ir allá, | |
|       | en habiendo a éste robado, | |
|       | pues toca a todos; que aquel | |
|       | hombre que de aquí salió | |
|       | de los tres huyendo, no | 800 |
|       | se alabe, que la cruel | |
|       | violencia mía ha vencido. | |
| CULPA | Pues si le hemos de seguir, | |
|       | cada uno ha de elegir | |
|       | segundo nombre, y vestido; | 805 |

                    porque advertido no esté
                    de quién somos.
GULA                             Es así;
                    y yo, que la Gula fui,
                    el Apetito seré,
                    que es el disfraz de la Gula.                    810
LASCIVIA   Yo, que la Lascivia soy,
                    seré la Hermosura hoy,
                    que es quien más me disimula.
CULPA      Pues yo, si a escucharte llego,
                    que como Apetito vas,                           815
                    ciego por fuerza serás,
                    yo seré mozo de ciego.
GULA       Robemos ahora aqueste
                    que hoy está en nuestro poder,
                    que bien podremos hacer                          820
                    que a esotro el talento cueste
                    mi apetito y tu belleza.
CULPA      Poco será el vencimiento
                    del que a gastar su talento
                    por Gula y Lascivia empieza.                     825
                    (Vanse.)


Sale el MUNDO, muy adornado, en una tramoya

MUNDO      Ya que veloz la Fama
                    con dulces voces al concurso llama,
                    del franco[27] de este día,
                    que a ostentación de la grandeza mía
                    hacer quise, juntando                            830
                    en esta plaza mi poder, y dando
                    satisfacción de cuanto, generoso
                    monarca soy, invicto y poderoso,
                    ponerme quiero a ver en esta entrada

_____
   [27] *franco:* «Usado como sustantivo —dice el *Diccionario de
Autoridades*— se toma por el tiempo en que dura la feria en que
se vende libre de derechos.» En *Pando* la palabra está con mayúscula.

128

cómo, desde la tórrida a la helada       835
zona, diversas gentes,
con trajes y costumbres diferentes,
van a la plaza entrando,
de quien yo la razón iré tomando,
porque en saber mis vanidades fundo       840
cuanto en su redondez contiene el mundo.
¡Ea mortales!, ya ha llegado el día
de la gran feria de mi monarquía;
jueves es, venid todos al Mercado,
pues sabéis que es el jueves día fe-       845
y vosotros, veloces          [riado,
vientos, decid con repetidas voces;
*(Dentro, MÚSICA.)*

MÚSICA   *Vicios y virtudes*
         *serían sus premios.*
         *¡Oh, feliz el que emplea*       850
         *bien sus talentos!*


*Sale la SOBERBIA con un sombrero de plumas en la mano*
   *y una pieza de tela como cogida*

MUNDO   ¿Quién eres tú, que vienes la primera?
SOBERBIA  Soy la Soberbia, hermosa y lisonjera
         deidad de los humanos,
         por mis muchos aplausos soberanos.       855
MUNDO   ¿Qué vendes?
SOBERBIA            Entre mil grandezas sumas,
         las ricas telas y las rizas plumas.
MUNDO   Entra y toma lugar.
SOBERBIA                   Aunque es la plaza
         tan grande, mi deidad te la embaraza
         toda, pues parte en ella jamás supe       860
         haber que mi soberbia no la ocupe.


         *Sale la HUMILDAD con un sayal*

MUNDO   ¿Tú quién eres?

129

| | |
|---|---|
| HUMILDAD | Pues sigo |
| | a la Soberbia, ser la Humildad digo. |
| MUNDO | ¿Qué traes tú? |
| HUMILDAD | Sayales, |
| | hábitos de las penas y los males, 865 |
| | baldones y desprecios. |
| SOBERBIA | Muy bien los venderás, que hay mu- |
| | [chos necios. |
| HUMILDAD | Sí venderé, pues se cantó por esto: |
| MÚSICA | *¡Oh, feliz del que emplea bien su talento!*[28] |

*Sale la* LASCIVIA, *dama, con flores*

| | |
|---|---|
| MUNDO | ¿Quién eres tú, que vienes tan ufana? 870 |
| LASCIVIA | Soy la Hermosura humana. |
| MUNDO | ¿Qué llevas? |
| LASCIVIA | Breves flores, |
| | que soy toda accidentes y colores; |
| | caudal que la edad vive de un engaño. |

*Sale el* DESENGAÑO *con un espejo*

| | |
|---|---|
| DESENGAÑO | Yo lo diré. |
| MUNDO | ¿Quién sois? |
| DESENGAÑO | El Desengaño. 875 |
| MUNDO | ¿Qué vendéis? |
| DESENGAÑO | Este espejo vendo solo, |
| | en quien aquellas flores acrisolo, |
| | mostrando que la púrpura de Tiro |
| | grana es de polvo al último suspiro. |
| LASCIVIA | Para temer al Desengaño es presto. 880 |
| MÚSICA | *¡Oh, feliz el que emplea bien su talento!* |

---

[28] Se refiere a la parábola de los talentos *(Mateo*, 25,14-3; *Lucas*, 19,12-27). El tema está tratado extensamente en el auto *A tu prójimo como a tí*. (Ver la ed. de Valbuena Prat en Clásicos Castellanos, núm. 74.)

*Sale la* GULA, *de ciego, y la* CULPA, *de mozo, con estampas*

MUNDO   ¿Quién eres tú, que en vano solicito
       conocerte?

GULA             Yo soy el Apetito
       del hombre; ciego voy, porque, aunque
                       [enfrente
       le tenga, jamás vi el inconveniente.    885

CULPA   Y por eso le guío
       yo, que de los peligros le desvío.

MUNDO   ¿Qué es tu caudal?

GULA                Pinturas, que, pinta-
       todas mis glorias son imaginadas,   [das,
       porque tanto apetece             890
       el hombre, el Apetito se lo ofrece,
       trayendo a su memoria los empleos
       de gusto, de manjares y deseos.

*Sale la* PENITENCIA *con saco y cilicios*

MUNDO   ¿Tú quién eres, que aflige tu presencia.
       pálida y triste?

PENITENCIA           Soy la Penitencia.    895

MUNDO   ¿Y qué ferias?

PENITENCIA           Piadosos ejercicios
       de ayunos, disciplinas y cilicios.

CULPA   Buena mercadería.

PENITENCIA   ¿Dirá el fin si lo es la tuya o mía?

GULA   Cuando a escucharte llego,       900
       por no verte me alegro de ser ciego.

PENITENCIA   Pues si tú a mí me vieras,
       conocimiento, no apetito fueras.

CULPA   ¡Ah, Señor! Viejo honrado,
       lleve usarced[29] sus tratos al Mercado   905
       sin baldonar los pobres y afligidos,
       pues que todos estamos mal vestidos.

---

[29] *usarced*, contracción de «vuesa merced».

DESENGAÑO  Pues, mozuelo indiscreto,
           ¿quién a vos mete en eso?
CULPA                            Yo me meto,
           que es mi amo, y si aplico               910
           a los dos el cuchillo haré…
GULA                             ¿Perico?
MUNDO      Teneos.
CULPA            Sí haré, pues no puede mi daño
           el quebrar el espejo al Desengaño.
GULA       ¡Ah muchacho!
CULPA                  Aquí estoy.
GULA                           Quieto.
CULPA                           Sí, digo.  915
GULA       Pienso que el diablo me metió contigo,
           ponme en buen puesto.
MÚSICA     *¡Oh, feliz quien emplea bien su talento!*
MUNDO      ¿Vos quién sois?

                    *Sale la* HEREJÍA *con libros*

HEREJÍA                 La Herejía.
MUNDO      ¿Qué es eso?                        [mía,
HEREJÍA                 Ciencias son, la ciencia  920
           libros de mis doctísimos varones,
           llenos todos de varias opiniones.
MUNDO      ¿Pues quién es la que ciega también
           al Mercado?                         [llega
FE         *(Saliendo.)* La Fe, que la Fe es ciega.
HEREJÍA    ¿Quién te guíe no traes?            [quedo
FE                     No; que aunque          925
           yo sin vista, el camino errar no puedo.
HEREJÍA    ¿Qué es eso?
FE                    Carne y sangre.
HEREJÍA                         ¿De qué suerte,
           si es Vino y Pan lo que mi vista advierte?
FE         Creyendo que este Pan sacramentado
           en Carne y Sangre está transubstan-  930
                                         [ciado,

132

porque cinco palabras excelentes
sólo dejan de Pan los accidentes,
no de Pan la sustancia.

HEREJÍA                    No lo creo.
MÚSICA  *¡Oh, feliz del que emplea bien su talento!*[30]
MUNDO   Ya esta parte de la plaza            935
        poblada de gente veo
        con varias mercaderías,
        todos tomando sus puestos.
        A acomodar los demás
        que ahora fueren viniendo           940
        quiero acudir a otra parte.
        ¡Oh cuánto me desvanezco
        de ver los triunfos que gozo
        y los vasallos que tengo!
        Poderosos mercaderes                 945
        del mundo, poneos los precios
        vosotros mismos a todos
        los grandes caudales vuestros,
        y ved que en la plaza ya
        vienen entrando los Genios,          950
        que son las inclinaciones,
        que tienen malos y buenos;
        hijos del género humano,
        llamadlos todos, haciendo
        de lo que vendéis alarde            955
        para que se inclinen ellos
        a comprar, puesto que viene
        cada uno con su talento;
        y advertid que aunque haya sido

---

[30] Este verso aparece escrito así en *Pando:*
                    ¡Oh, feliz el que emplea
                    bien su talento!
Valbuena lo reproduce, pero se ve claramente que, en Pando, la
división en dos es pura cuestión tipográfica. Aquí cierran el verso
los pareados asonantados rimando en asonante, como se ve en
los casos anteriores: «presto-talento»; «puesto-talento». Tras esto,
cambia el metro, iniciándose un romance octosílabo.

                talento moneda, es cierto          960
                que en aquesta alegoría
                se habla del alma, haciendo
                de él moneda imaginaria.
                Perdonad, doctos ingenios,
                la advertencia, que yo hablo     965
                a mayor abundamiento³¹. (Vase.)
  CORO 1.º   Forasteros, llegad, llegad,
                que aquí contentos
                y gustos están.
  CORO 2.º   Forasteros, venid, venid,          970
                que están las fatigas
                y penas aquí.

*Salen el* BUEN GENIO *y la* INOCENCIA, *por una parte,*
*y por la otra, el* MAL GENIO *y la* MALICIA

BUEN GENIO   ¡Qué hermosa que está la plaza
                del Mundo, Inocencia!
INOCENCIA                          Cierto
                que parece un paraíso.          975
MAL GENIO    ¿Viste tan raros objetos,
                Malicia, otra vez?
MALICIA                          Sí, vi.
                pero fue en mi pensamiento³².
MAL GENIO    Un amor me trajo al Mundo;
                mas ya son dos los que tengo,   980
                que después que vi a Lascivia

---

³¹ Puesto que los autos se representaban primero en la Corte y ante los nobles, Calderón disculpa la aclaración —dirigida al vulgo— de que el «talento» fue antiguamente una moneda, pero que aquí, por tratarse de cosas del alma, debe entenderse como un don espiritual.

³² «Pensamiento» está aquí usado, como en otros lugares, en sentido de «imaginación», lo que todavía persiste en frases como «estoy pensando», cuando lo que se hace es dejar fluir libremente las imágenes; o cuando se dice: «mi pensamiento divaga».

134

poco de Gracia me acuerdo.

BUEN GENIO  Antes que compremos algo,
la vuelta a la plaza demos.

MALICIA  Ven, y veámoslo todo                    985
antes que nada compremos.

SOBERBIA  Llevad galas, llevad plumas.

HUMILDAD  Llevad sayales groseros.

LASCIVIA  Flores doy bellas y hermosas.

DESENGAÑO  Yo desengaños ofrezco.               990

GULA  En imágenes pintadas
los deleites represento.

CULPA  ¡Ea, caballeros, lleven
de aquí varios pensamientos!

PENITENCIA  Llevad mortificaciones               995
para que podáis vencerlos.

HEREJÍA  Libros de opiniones doctas
os daré a barato precio.

FE  Yo este Pan, que es Carne y Sangre,
dulce e inmortal sustento.                       1000

CORO 1.º  *Forasteros, llegad, llegad,*
*que aquí los contentos y gustos están.*

CORO 2.º  *Forasteros, venid, venid,*
*que están las fatigas y penas aquí.*

CULPA  Yo no puedo estar parado;               1005
esperadme aquí, que quiero
ir a buscar otro engaño,
con cuyo disfraz pretendo
hallarme en todo.

GULA                    Perico,
¿dónde vas?

CULPA              A punto vuelvo. *(Vase.)*    1010

BUEN GENIO  Ya Inocencia, habemos visto
cuanto se vende.

INOCENCIA              Y confieso
que en mi vida me ha pesado
si no es ahora de serlo.

BUEN GENIO  ¿Por qué?

INOCENCIA              Porque la Inocencia,      1015

|              | como no tiene talento<br>que gastar, no compra nada. |      |
|--------------|------------------------------------------------------|------|
| MAL GENIO    | Malicia, de todo esto,<br>¿qué es lo que más te agradó? |   |
| MALICIA      | De todo hay, de malo y bueno.<br>Esta parte tiene más<br>riquezas. | 1020 |
| MAL GENIO    | Eso es lo mesmo<br>que me ha parecido.               |      |
| BUEN GENIO   | Ven<br>por aquí.                                     |      |
| INOCENCIA    | ¿Pues a qué efecto,<br>si aquí no se vende nada<br>de placer? | 1025 |
| BUEN GENIO   | Porque me llevo<br>tanto de mi inclinación<br>en amor cuanto el desprecio<br>del Mundo, que en su Mercado<br>sólo han de ser mis empleos<br>las miserias de la vida. | 1030 |
| INOCENCIA    | ¿No tratas casarte?                                  |      |
| BUEN GENIO   | Es cierto.                                           |      |
| INOCENCIA    | Pues, ¿qué más miserias quieres?<br>Mas dejando el vil concepto,<br>lleva galas a tu esposa,<br>joyas, tocados y aseos³³,<br>que no hay ninguna que no<br>se huelgue. | 1035 |
| BUEN GENIO   | Por tu consejo<br>de aquella tela, a la Gracia<br>llevar un vestido quiero. | 1040 |
| MALICIA      | A la tienda que tú vas,<br>llegó tu hermano primero. |      |
| MAL GENIO    | Pues veamos lo que compra<br>desde aquí.             |      |

---

³³ *aseos*, esto es, «afeites» para el embellecimiento.

*Sale la* CULPA, *de galán*

CULPA          A buen tiempo llego,
que el Buen Genio está en la tienda 1045
de la Soberbia, que espero
que no voy a hacer que de ella
no salga sin que primero
la compre algo.

BUEN GENIO           Esta me agrada.

SOBERBIA Pues no os desagrade el precio.    1050

CULPA Yo terciaré en que sea poco.

BUEN GENIO ¿Qué os va a vos en eso?

CULPA Ser corredor de esta tienda.

BUEN GENIO Sin vos nos concertaremos.

CULPA No es posible.

BUEN GENIO         ¿Qué queréis    1055
por ella?

SOBERBIA        Un pensamiento
de soberbia y vanidad,
presumir que sois perfecto
en todas vuestras acciones
y que no puede haber yerro    1060
en vos.

CULPA       Es de balde.

BUEN GENIO        Pues
guárdala que no la quiero.

SOBERBIA ¿Por qué?

BUEN GENIO       Porque yo conozco
de mí que nada merezco.

CULPA Volved acá.

MAL GENIO       No la guardes,    1065
que yo la tomo en el precio;
y las plumas, ¿cuánto son?

SOBERBIA Otro desvanecimiento.

BUEN GENIO No la compres, que es, hermano,
el propio conocimiento    1070
la mejor joya del alma.

MAL GENIO No es menester tu consejo.

Por estas plumas y telas
doy, vano, altivo y soberbio,
conocer de mí, que sólo                              1075
ponérmelas yo merezco.

SOBERBIA   Vuestro es, y pues despaché
mi mejor caudal con esto,
celebre a voces mi bando
el buen marchante que tengo.                          1080

MÚSICA   *Sea norabuena,*
*norabuena sea,*
*vestir galas y plumas*
*de la Soberbia.*

MAL GENIO   Toma y llévalas, Malicia.                 1085

CULPA   Gran ocasión perdí; pero
otras habrá; tras él voy,
aunque a esotro deje, puesto
que importa más a la Culpa
que sea malo el que es bueno                           1090
que no que sea peor
el que fue malo, que aquesto
sin diligencia se hace.

BUEN GENIO   En tu vida otro consejo,
Inocencia, me has de dar.                              1095

INOCENCIA   Ya sabes que soy un necio.

BUEN GENIO   ¿Vos no tenéis telas?

HUMILDAD                           Sí;
mas son sayales groseros.

BUEN GENIO   Esos son los que yo busco.

INOCENCIA   Pues, ¿para qué quieres ésos?             1100

BUEN GENIO   Para vestir a mi esposa.

INOCENCIA   De buen espolín[34], por cierto.

CULPA   Yo haré que os den más barata
otra tela allí.

BUEN GENIO                  No quiero
nada yo por vuestra mano.                              1105

---

[34] *espolín:* tela de seda con flores entretejidas. (También se
llama así la lanzadera con que se entretejen.)

138

|              | ¿Qué pedís por todos éstos?                          |      |
| HUMILDAD     | Sólo un acto de humildad.                            |      |
| BUEN GENIO   | Decidme cual, que yo ofrezco obedeceros.             |      |
| HUMILDAD     | A mí                                                 |      |
|              | me basta ese rendimiento,                            | 1110 |
|              | porque ofrecer obediencia                            |      |
|              | es de este sayal aprecio. *(Vase.)*                  |      |
| BUEN GENIO   | Toma, Inocencia.                                     |      |
| CULPA        | Esa gala,                                            |      |
|              | más que de boda, es de entierro.                     |      |
| BUEN GENIO   | No por eso es peor buscar                            | 1115 |
|              | vivo lo que sirve muerto.                            |      |
| INOCENCIA    | Tela es pasada[35], pues tiene                       |      |
|              | lo mismo fuera que dentro.                           |      |
| MÚSICA       | *Norabuena, sea,*                                    |      |
|              | *sea norabuena,*                                     | 1120 |
|              | *de Humildad vestiros*                               |      |
|              | *las pobres telas.*                                  |      |
| MALICIA      | Un sayal compró tu hermano.                          |      |
| MAL GENIO    | Buena gala. Allí un espejo                           |      |
|              | se vende, curiosa alhaja                             | 1125 |
|              | de una dama.                                         |      |
| MALICIA      | Verle quiero.                                        |      |
| CULPA        | Al otro bando se pasa                                |      |
|              | el que ya en mi poder tengo;                         |      |
|              | mas si al que perdí no gano,                         |      |
|              | ¿qué haré, si al que gano pierdo?                    | 1130 |
| MAL GENIO    | ¿Qué quieres por este hermoso                        |      |
|              | limpio cristal?                                      |      |
| DESENGAÑO    | Un acuerdo                                           |      |
|              | de la muerte.                                        |      |
| MAL GENIO    | ¿De la muerte?                                       |      |
| DESENGAÑO    | Sí.                                                  |      |

---

[35] *tela pasada:* La Inocencia, como gracioso, se burla de que la tela está vieja, y tan gastada que no tiene revés ni derecho.

| | |
|---|---|
| CULPA | Mozo sois, ahora es presto, para esta memoria. |
| MAL GENIO | Bien 1135<br>me aconsejáis, caballero,<br>guardadle. |
| BUEN GENIO | No lo guardéis,<br>que yo le tomo en el precio. |
| CULPA | ¿Lo que otro deja lleváis? |
| BUEN GENIO | ¿No lleva él lo que yo dejo? 1140 |
| DESENGAÑO | Tomadlo, miraos en él<br>y pagaréisme. *(Vase.)* |
| BUEN GENIO | Ya veo<br>al cristal del Desengaño,<br>que soy polvo, nada y viento;<br>toma, Inocencia. |
| INOCENCIA | ¡Jesús! 1145<br>¡Qué maldita cara tengo! |
| MÚSICA | *Sea norabuena,*<br>*norabuena sea,*<br>*conocer a ese espejo*<br>*las faltas vuestras.* 1150 |
| CULPA | ¡Ay de mí!, qué vanamente<br>en este Mercado intento,<br>haciéndome corredor<br>desperdiciar el talento,<br>pues con Lascivia y Soberbia 1155<br>igual, hacerle no puedo<br>pecar; con la Hipocresía<br>tengo que ver si le venzo. *(Vase.)* |
| MAL GENIO | Ya que el espejo no compro<br>llevar un tocado quiero. 1160<br>Dadme, hermosa, vuestras flores,<br>matices y adornos bellos<br>he menester para una<br>dama que adoro y pretendo,<br>harto parecida a vos. 1165 |
| LASCIVIA | Yo a cuanto se ama parezco, |

                    y por sola una lisonja
                    la llevaréis.

MAL GENIO                    No me atrevo
            a pronunciarla, que cuanto
            en el más rendido afecto,                 1170
            en la más postrera fe
            diga el encarecimiento,
            será verdad, no lisonja.

LASCIVIA    Aquesa lo es ya, y no puedo
            negar los bellos matices,                 1175
            que son aplausos de viento. *(Vase.)*

MÚSICA      *Sea norabuena,*
            *norabuena sea,*
            *que os ofrezca sus flores*
            *la Primavera.*                           1180

BUEN GENIO                    ¿Qué vendéis vos?
PENITENCIA                            Yo, miserias,
            llantos, penas, desconsuelos,
            cilicios y disciplinas.

BUEN GENIO  ¿Pues quién sois?

PENITENCIA                    El Sacramento
            de la Penitencia soy.                     1185

BUEN GENIO  Huélgome de conoceros.

INOCENCIA   Yo no. ¿Qué miras?

BUEN GENIO                    Sus joyas.

INOCENCIA   ¿Esas son joyas?

BUEN GENIO                    ¡Qué necio!
            ¿Hay otras de más valor?

INOCENCIA   Muchas. Si no, preguntemos              1190
            a estas damas qué querrán
            más que las dé un caballero:
            unos canelones duros
            o unos canelones tiernos[36],
            un cilicio o unas martas,                 1195

_____
[36] *canelones duros... canelones tiernos:* los «canelones» son una labor de pasamanería.

                                                      141

|             | un ayuno o un almuerzo,                    |      |
|             | un ermitaño o un sastre[37].               |      |
|             | ¿Qué quieres por todo esto?                |      |
| PENITENCIA  | Una confesión vocal,                       |      |
|             | con un arrenpetimiento.                    | 1200 |
| BUEN GENIO  | Mis culpas confieso a voces.               |      |
| PENITENCIA  | Pues tomad, que todo es vuestro.           |      |
| MÚSICA      | *Sea norabuena,*                           |      |
|             | *norabuena sea,*                           |      |
|             | *daros sus auxilios*                       | 1205 |
|             | *la Penitencia.*                           |      |
| MAL GENIO   | Vos, ¿qué vendéis?                         |      |
| GULA        |                    Las ideas               |      |
|             | que dibuja el Pensamiento,                 |      |
|             | despertando al Apetito                     |      |
|             | para gustos y contentos.                   | 1210 |
| MAL GENIO   | No os las compro, porque yo                |      |
|             | siempre le tuve despierto.                 |      |

*Sale la* CULPA, *de pobre*

| CULPA     | Dad una limosna, ya                         |      |
|           | que nada compráis.                          |      |
| MAL GENIO |                    No quiero.               |      |
|           | que mendigos holgazanes                     | 1215 |
|           | lo sean con mi dinero.                      |      |
| CULPA     | Si supieras quién soy yo *(aparte)*         |      |
|           | harto me dabas en ello.                     |      |
|           | Caballero, pues vos sois *(al* BUEN GENIO.*)* |    |
|           | tan piadoso, justo y cuerdo,                | 1220 |
|           | que en el mercado del Mundo                 |      |

---

[37] Desde «qué querrán» se formulan preguntas, pero indirectamente. En *Pando* no sólo se ponen los signos de interrogación
correspondientes al final de cada verso, sino que cada uno se
separa con punto del anterior. Creo que la forma normal de es-
cribirlo hoy es la de separarlo sólo con una coma, englobando
todos en la pregunta general.

|  | hacéis del oro desprecio, |  |
|  | y compráis pobres alhajas, |  |
|  | dad limosna a un pobre ciego. |  |
| BUEN GENIO | En mí hay caridad, tomad. | 1225 |
| CULPA | No negaréis por lo menos |  |
|  | que ya no me has dado parte |  |
|  | del talento. |  |
| BUEN GENIO | Sí haré, puesto |  |
|  | que no te le he dado a ti. |  |
| CULPA | Pues ¿a quién? |  |
| BUEN GENIO | Al sentimiento | 1230 |
|  | de verte necesitado, |  |
|  | que es Dios tan piadoso y recto, |  |
|  | que aun lo que se da a la Culpa |  |
|  | del hombre, que va pidiendo |  |
|  | sin necesidad, lo pone | 1235 |
|  | a cuenta suya, diciendo |  |
|  | que es por quien se da, y no en quien |  |
|  | consiste el merecimiento. |  |
| CULPA | Tercera vez me venciste. |  |
| GULA | No desesperes tan presto. | 1240 |
|  | Culpa, que si yo me quito |  |
|  | los atributos de ciego, |  |
|  | siendo Gula y Apetito, |  |
|  | placer seré. |  |
| CULPA | Pues ven presto, |  |
|  | vea el cielo que le quedan | 1245 |
|  | más lides en que vencernos. *(Vanse.)* |  |
| MAL GENIO | ¿Qué vendéis vos? |  |
| FE | Este Pan |  |
|  | y este Vino. |  |
| MAL GENIO | No os lo merco, |  |
|  | que en la casa de la Gula |  |
|  | como esos manjares tengo. | 1250 |
| FE | No me espanto, que no vienes |  |
|  | por el camino derecho, |  |
|  | puesto que a la Penitencia |  |
|  | nada feriaste primero. |  |

| | | |
|---|---|---|
| BUEN GENIO | ¿Qué vendéis vos? | |
| HEREJÍA | Estos libros. | 1255 |
| BUEN GENIO | ¿De quién? | |
| HEREJÍA | De grandes ingenios | |

BUEN GENIO ¿Qué vendéis vos?
HEREJÍA                              Estos libros.          1255
BUEN GENIO ¿De quién?
HEREJÍA                    De grandes ingenios
herejes sacramentarios.
BUEN GENIO Facultad es que no entiendo
ni quiero entenderla.
MAL GENIO                              Yo
de todas saber me huelgo.                                  1260
BUEN GENIO Yo creer sin saber.
MAL GENIO                              Pues
troquemos lugar.
BUEN GENIO                    Troquemos[38].
MALICIA Bravos trastos, Inocencia,
llevas.
INOCENCIA          Es mi amo un necio[39].
BUEN GENIO ¿Qué Pan, bella dama, es éste?          1265
FE Pan que descendió del cielo:
Pan de ángeles.
MAL GENIO                    ¿Qué autores
éstos son?
HEREJÍA          Calvino y Lutero[40].
BUEN GENIO ¿Cómo es Pan del cielo?
FE                              Como
es el cuerpo de Dios mesmo.                                1270
MAL GENIO ¿De qué trata este autor?
HEREJÍA                              Este
afirma que todo cuerpo
ocupar debe lugar,
y que no es posible aquello
de que esté el Cuerpo de Dios                              1275

---

[38] Este trueque de lugar alude al que se hace en los torneos, a los que Calderón equipara frecuentemente las disputas doctrinales.

[39] A este verso le falta una sílaba, pero así está en Pando y en Valbuena.

[40] En cambio, a este otro verso le sobra una sílaba, pues tiene nueve. Podría suprimirse *son*, manteniendo el sentido.

en el blanco Pan, supuesto
que en él no ocupa lugar[41].

FE  El cuerpo extenso, concedo;
el Cuerpo que está con modo
indivisible, eso niego;                              1280
y así está el Cuerpo de Cristo
en el Pan del Sacramento,
con el modo indivisible,
y declárame un ejemplo:
el alma de un hombre, ocupa           1285
todo un hombre, sin que demos
lugar dónde esté, pues queda
tan cabal, después de muerto,
la cantidad, como estaba
antes que muriese; luego,               1290
sin ocupar lugar, puede
Dios estar en ese velo,
y estar o no estar le hace
ser Pan vivo o ser Pan muerto[42].

HEREJÍA  Yo lo niego.
FE                              Yo lo afirmo.         1295
MAL GENIO  Yo lo dudo.
BUEN GENIO                  Yo lo creo.
MALICIA  Yo, ni lo afirmo ni lo dudo.
INOCENCIA  Yo, ni lo sé ni lo entiendo.
BUEN GENIO  ¿Qué vino es éste?
FE                              Es la Sangre
de Dios, en cuyo alimento                1300
se cobra la vida eterna.
MAL GENIO  ¿Y éste?
HEREJÍA          Si Sangre es veneno,

---

[41] Es tesis aristotélica, que Calderón presenta siempre como objeción a la Eucaristía, hecha desde el punto de vista de la pura ciencia humana.

[42] Calderón repite literalmente este argumento en la loa de *A Dios por razón de Estado*, en boca de la Teología. La objeción la hace allí la Filosofía. *(Pando, I, 1-6.)*

dice, que ¿cómo da vida?[43]

BUEN GENIO ¿Pues qué respondes?

FE                               Que siendo
la Sangre humana de Cristo       1305
divina también, por serlo
con divinidad, da vida,
porque es fuerza poder menos
lo humano que lo divino,
hallándose en un supuesto[44].       1310

HEREJÍA Yo lo niego.

FE                  Yo lo afirmo.

MAL GENIO Yo lo dudo.

BUEN GENIO           Yo lo creo.

MALICIA Lo dicho, dicho, Inocencia.

INOCENCIA Malicia, lo hecho, hecho[45].

MAL GENIO Y éste, ¿de qué trata?

HEREJÍA                    Éste       1315
dice que justos preceptos
vedan[46] comer carne humana,
por ser terrible y cruento

---

[43] En la *loa* mencionada en la nota anterior, esta objeción la pone la Medicina. En cambio, la respuesta que da aquí la Fe es diferente de la que allí da la Teología. El texto está así en Pando, pero el sentido pide «dile que», esto es que el MAL GENIO le pregunte a la FE cómo puede dar vida.

[44] *supuesto*, en la escolástica, es una sustancia individuada, de modo que si la persona humana es un *supuesto racional*, la Persona divina sería un «supuesto suprarracional». Aquí el «supuesto» es la sangre, pero se distingue entre la sangre divina y la humana: la de Cristo es humana y divina, pero ésta, que «puede más», es la que da vida.

[45] Esta fórmula se encuentra en *El alcalde de Zalamea*, en un diálogo entre don Lope de Figueroa y Pedro Crespo: como se ha dicho al tratar de fechar el auto:

DON LOPE. Pues Crespo, lo dicho, dicho.

CRESPO. Pues, Señor, lo hecho, hecho.

[46] *vedan comer...* Pando dice *deban*, pero no se trata de un precepto positivo: el sentido es que la ley natural y la ley divina, por igual, prohiben comer carne humana. En la *loa* citada la Jurisprudencia dice:

no sólo *vedado* fue

manjar para el hombre.

FE                       Y son
divinos preceptos; pero          1320
la carne humana de Cristo
divinizada la vemos
por la hipostática unión[47],
sacramentada de él mesmo
voluntariamente, y no           1325
es sacrificio cruento,
sino incruento y piadoso,
pues todo el horror y el miedo
de carne humana quitó
la Gracia del Sacramento[48].    1330

BUEN GENIO  No digas más, que si es
Pan de Gracia, yo pretendo
por este Pan y este Vino
daros todo mi talento.

FE  Aunque yo le doy de balde,    1335
tú no le pagas con menos;
toma, y llévale contigo,
que tuyo será.

MAL GENIO            Supuesto
que a la Gracia convencer
puedo con los argumentos        1340
de estos libros, y para ella

---

en el natural derecho
de los hombres el comer
una humana carne...

Y la Teología contesta:

                          Concedo
cuán justamente las leyes
y canónicos decretos
*veden* comer carne humana.

Está claro que se ha deslizado una errata, y, en vez de *deban* debe ser *vedan*.

[47] *hipostática unión*, se refiere a la unión de la naturaleza humana y la divina en Jesucristo.

[48] Este argumento aparece también en la *loa* mencionada, aunque no tan literalmente como la anterior de la nota 42.

                  los he de llevar, yo ofrezco
por ellos cuanto quedó
del caudal de mi talento.

HEREJÍA   Llevadlos, que ha de elegirlos,       1345
              cuando no de amor, de miedo,
              y diga toda la tierra:

FE   Y repare todo el cielo.

MÚSICA   *Sea norabuena,*
              *norabuena sea,*          1350

UN CORO   *Darnos la herejía*
              *todas las ciencias.*

OTRO CORO   *Que ese Pan de Gracia*
              *la Fe conceda.*

MAL GENIO   Ya tu talento has gastado.       1355

BUEN GENIO   Y en el más divino precio.

MAL GENIO   Yo también.

MALICIA             Notables cosas
              llevas Inocencia,

INOCENCIA            Pienso
              que en viendo lo que llevamos
              nos mata a palos el viejo.       1360

MAL GENIO   Volvamos juntos ahora,
              porque quiero irme r&#239;endo
              de ver las cosas que sacas
              del Mundo.

BUEN GENIO            Ahora no quiero
              yo tu comunicación,          1365
              que aquestos libros trayendo,
              tener no puedo contigo
              conversación ni comercio;
              y así, mira qué camino
              has de llevar, porque quiero     1370
              llevar de ti el más distante[49].

MAL GENIO   Yo por lo llano me vuelvo,
              que en la venta de la Gula

---

[49] Como se ve, Calderón no admite la convivencia con los herejes; pero no es sólo cosa suya, sino de la época.

                    viandas y comidas dejo
                    pagadas para el camino,                          1375
                    y ver a Lascivia quiero,
                    para darle algunas joyas
                    de las muchas que aquí llevo.
                    Yo, sin tocar en su venta
                    volveré por el desierto.
MAL GENIO   Pues, adiós.
BUEN GENIO                       Adiós.

          *Salen la* CULPA *y la* GULA, *de gitanos*

     GULA                        No vais[50]            1380
                    sin que me escuchéis primero
                    lo que os digo alegremente
                    al son de los instrumentos. *(Bailan y
                    zapatean.)*
     MÚSICA  *Canarios a bona,*
                    *arrofaifá*[51],                           1385
                    *si mi padre lo sabe*
                    *matarme ha.*
     GULA   Yo soy el placer, gitano
                    de los sentidos, pues puedo
                    robarlos con mis bebidas;              1390
                    tan tarde al Mercado vengo
                    porque como soy Placer,
                    vengo tarde y me voy presto;
                    un caballo y un esclavo
                    para que os volváis os vendo;         1395
                    el caballo es tan veloz,
                    que es el mismo pensamiento,
                    y el esclavo este muchacho,
                    despejado, alegre y suelto.

---

[50] *No vais*, por «No os vayáis».

[51] *arrofaifá*: En la ed. de Valbuena dice «arrosaisá», pero en
Pando se ve muy claramente que son *efes* y no dos *eses altas*, que
es con las que se podrían confundir. La palabra no significa nada;
se trata de uno de esos bailes o cancioncillas populares de la época,
que corrientemente solían cerrar los entremeses.

149

|                |                                        |      |
|----------------|----------------------------------------|------|
|                | ¡Ea, Perico, otra vüelta               | 1400 |
|                | por aquestos caballeros!               |      |
| MÚSICA         | *Canario a bona, etc.*                 |      |
| BUEN GENIO     | Tal deseo de volver                    |      |
|                | a vista de Gracia tengo,               |      |
|                | que yo os comprara el caballo,         | 1405 |
|                | mas no me queda dinero,                |      |
|                | que por este Pan de Gracia             |      |
|                | he dado todo el talento.               |      |
| GULA           | Yo os lo fiaré, que ya sé              |      |
|                | quién sois, y acudiré luego            | 1410 |
|                | a cobrar a vos.                        |      |
| BUEN GENIO     | ¿Y cuánto                              |      |
|                | pedís por él?                          |      |
| GULA           | No pretendo                            |      |
|                | más de que me le paguéis,              |      |
|                | como os hallareis, supuesto            |      |
|                | que es Pensamiento, en que puede       | 1415 |
|                | saliros o malo o bueno.                |      |
| BUEN GENIO     | Con aquesa condición                   |      |
|                | yo le tomo.                            |      |
| GULA           | Pues poneos                            |      |
|                | en él: allí está, y partid.            |      |
| BUEN GENIO     | Aqueso no, que primero                 | 1420 |
|                | le he de enfrenar de mi mano,          |      |
|                | poniéndole rienda y freno              |      |
|                | de obediencia, porque sólo             |      |
|                | para tenerle sujeto,                   |      |
|                | compraré al Placer, fiado,             | 1425 |
|                | el bruto del Pensamiento.*(Vase.)*     |      |
| CULPA          | Aun comprándonos nos vence             |      |
|                | la inclinación del Buen Genio.         |      |
| MAL GENIO      | ¿Por qué vendéis el esclavo?           |      |
| GULA           | Por necesidad que tengo                | 1430 |
|                | de que vos os lo llevéis.              |      |
| MAL GENIO      | Sí haré, como hagáis lo mesmo          |      |
|                | de fiármele.                           |      |
| GULA           | Sí fío;                                |      |

|          | pero a él no, que yo le vendo |      |
|          | con tachas buenas y malas. | 1435 |
| MAL GENIO | Y yo con ellas lo merco. |      |
| CULPA    | Aunque vendido me vea |      |
|          | alegre estoy y contento |      |
|          | con el dueño que me has dado, |      |
|          | pues así tener pretendo | 1440 |
|          | en réprobos y elegidos |      |
|          | jurisdicción con el cielo, |      |
|          | en fe de cuya alegría |      |
|          | a cantar y bailar vuelvo. |      |
| MÚSICA   | *Canario a bona, etc.* | 1445 |
| GULA     | Pues de los dos a cobrar |      |
|          | he de ir, os iré sirviendo. |      |
| MAL GENIO | Yo, por llevaros conmigo |      |
|          | hasta mi casa, me huelgo. |      |
| MALICIA  | Sí, que del Mundo no hay más | 1450 |
|          | que llevar sino el contento. |      |
| MÚSICA   | *Canario a bona, etc.* |      |
|          | *(Vanse cantando y bailando.)* |      |

*Salen la* GRACIA *y el* PADRE DE FAMILIAS

| GRACIA | Grande es tu cuidado. |      |
| PADRE DE F. | Sí, |      |
|          | que ausentes mis hijos tengo, |      |
|          | y a este monte voy y vengo, |      |
|          | por si puedo desde aquí, |      |
|          | descubriendo los caminos | 1455 |
|          | de la vida humana, ver |      |
|          | señas de llanto y placer. |      |
| GRACIA | Ellos fueron peregrinos |      |
|          | al Mundo, y que volverán |      |
|          | no dudes, viendo empleados | 1460 |
|          | los talentos heredados, |      |
|          | pues por mí a la feria van. |      |
| PADRE DE F. | ¡Ay, Gracia hermosa!, que ha habido |      |

mucho que temer, porque[52]
aunque tu hermosura fue                           1465
lo que ambos han pretendido,
los modos de pretenderla
en los genios se difieren,
que todos la Gracia quieren
y pocos saben quererla.                           1470
Pregunta al más pecador
si tener Gracia querrá,
dirá que sí (claro está);
pero ciego de su error,
no te sabe merecer,                               1475
que aunque tú les des favores,
son tales los pecadores
que te quieren sin querer.

GRACIA  Por aquella parte, que
en su aspereza este monte                         1480
embaraza el horizonte,
en un caballo se ve
un hombre.

PADRE DE F.                    ¡Ay de mí!, que ha sido
su pensamiento, y caerá
desde sus cumbres, si ya                          1485
no le trae bien corregido.

GRACIA  Por esotro hermoso llano
músicas y danzas vienen. *(Suena música y ruido.)*

PADRE DE F.  Si son mis hijos, bien tienen
hoy que llorar (y no en vano)                     1490
mis ojos, pues por el viento
corre ciego cada uno,
en sus deidades el uno
y el otro en su pensamiento.

BUEN GENIO  *(Dentro.)*
No me has de arrojar de ti,                       1495

_____

[52] *porque:* al final del verso, en los clásicos, se lee *porqué*, como
lo pide el metro.

monstruo de soberbia lleno,
pues de la obediencia el freno
te trae seguro.

FE   *(Dentro.)*      Y aquí
las virtudes te valemos,
de quien del Mundo sacaste      1500
los méritos que feriaste.

GRACIA   Ya socorrido le vemos
de gente, que el monte arriba
trepa a ayudarle, no en vano.

MÚSICA   *El grande género humano,*      1505
*Padre de Familias, viva.*


*Salen, por diferentes partes, el* BUEN GENIO, *la* INOCEN-
CIA, *la* FE *y las* VIRTUDES, *y por el otro, el* MAL GENIO,
*la* GULA *y la* CULPA *y llegan al* PADRE DE FAMILIAS
*en reverencia*


BUEN GENIO   Dame tu mano a besar.

PADRE DE F.   Ni a uno ni a otro, hasta ver
a quién se la debo dar.      1510

MAL GENIO   A mí, que traigo empleado
de mi talento y tesoro
en telas y en piezas de oro
y flores para el tocado
de Gracia, que éstas y aquéllas      1515
dan soberbia y hermosura,
porque en su belleza pura,
que es cielo, sirvan de estrellas.
Libros traigo, porque sé
que es gran ciencia la Herejía;      1520
del placer y la alegría
los músicos, para que
esa belleza que alabo
celebren a cualquier hora
como ave a la aurora,      1525
y al contento por mi esclavo.

Tráigote dulces manjares
y bebidas que me dio
la Gula.

PADRE DE F.            ¿Tú que traes?

BUEN GENIO                          Yo,
llantos, miserias, pesares,                          1530
pobres telas peregrinas
de que la Humildad se viste;
de la Penitencia triste,
cilicios y disciplinas;
no traigo sonora voz,                               1535
sino el suspiro y lamento,
y domado[53] el Pensamiento,
bruto que corrió veloz.
Tráigote del Desengaño
de la vida este cristal,                            1540
donde se ve el bien y el mal;
para evitarte del daño
que en esos libros se ve
y no pueden ofendella,
traigo para Gracia bella                            1545
aqueste Pan de la Fe.

PADRE DE F. Dame los brazos, que tú
eres mejor hijo, al fin:
tú eres mi Abel; tú, Caín;
tú, mi Jacob; tú, Esaú.                             1550
Y pues tú solo has logrado[54]
el talento que te di,
tú eres mi heredero. A ti [al MAL GENIO],
maldito y desheredado
te dejo; ingrato, jamás                             1555
parte tendrás de mi herencia;
en tormento e impaciencia

_____

[53] *domado*, en Pando dice «domando», pero el sentido pide
«domado».

[54] *has logrado*, en el sentido de «has gozado» o «has disfrutado»
de algo.

eternamente serás
aborrecido de Dios;
las puertas te cerraré                    1560
de mi casa, y para que
premio y castigo a los dos
muestre mi justicia igual,
da la mano, Gracia, a quien
yendo donde hay mal y bien,               1565
trajo el bien y dejó el mal.

MAL GENIO   ¡Ay infelice de mí,
que jamás hallar intento
consuelo, pues el talento
que me entregaron perdí!                  1570

GRACIA   Cuando tú no me trajeras
más que aqueste Pan que adoro,
es el más rico tesoro
con que obligarme pudieras.

*(Al tiempo que va el PADRE diciendo
los versos que siguen, se descubre un
trono y siéntanse los dos y las VIRTU-
DES, quedando el PADRE en medio.)*

PADRE DE F.   Llega a mis brazos y ven          1575
a este trono celestial,
pues entre el bien y entre el mal
acertaste con el bien.
En él te acompañaremos
yo y tu esposa, Gracia bella,             1580
que es del cielo hermosa estrella,
en cuyos claros extremos,
en precio de tu talento,
goces del bien celestial. *(Siéntase.)*

MAL GENIO   ¡Ay infeliz de mi mal,              1585
que jamás hallar intento
consuelo, pues el talento
que me entregaron perdí,
y como al viento le di,
todo es sombra, todo es viento!           1590
¿Y solamente ha quedado

conmigo este esclavo aquí?

CULPA Si, que yo tu Culpa fui
y siempre te he acompañado:
cuando con la Gula hablaste,                    1595
allí estuve yo incitando;
allí estuve también cuando
a la Lascivia adoraste;
allí estuve cuando diste
a la Soberbia el talento;                       1600
y allí, cuando al Sacramento
ni adoraste ni creíste;
allí, cuando por esclavo
me compraste, y el Placer
te acompañó, porque a ver                       1605
llegues de tu vida el cabo;
y así, hoy conmigo ven.

PADRE DE F. Y tú al abismo infernal,
(al MAL GENIO)
pues hallando el bien y el mal,
traes el mal, dejas el bien.                     1610
En cuyos ejemplos fundo
las glorias del Sacramento,
de los Genios el talento
y el Gran Mercado del Mundo.

*(Al principio de estos versos se abre un
escotillón y salen llamas de fuego y
se hunden el MAL GENIO y la CULPA
abrazados como estaban, y los cuatro
últimos versos los repite la música,
y el trono se eleva y se tocan chirimías*[55] *y otros instrumentos, con que
se da fin al auto.)*

---

[55] *chirimías*, se trata de un instrumento musical de viento, pa-
recido al clarinete, con diez agujeros y boquilla con lengüeta de
caña. Suele tocarse siempre en la apoteosis final de cada auto.

Colección Letras Hispánicas

ÚLTIMOS TÍTULOS PUBLICADOS

279 *Vida de don Quijote y Sancho*, MIGUEL DE UNAMUNO.
     Edición de Alberto Navarro González.
280 *Libro de Alexandre.*
     Edición de Jesús Cañas Murillo.
281 *Poesía*, FRANCISCO DE MEDRANO.
     Edición de Dámaso Alonso.
282 *Segunda Parte del Lazarillo.*
     Edición de Pedro M. Piñero.
283 *Alma. Ars moriendi*, MANUEL MACHADO.
     Edición de Pablo del Barco.
285 *Lunario sentimental*, LEOPOLDO LUGONES.
     Edición de Jesús Benítez.
286 *Trilogía italiana. Teatro de farsa y calamidad*, FRANCISCO NIEVA.
     Edición de Jesús María Barrajón.
287 *Poemas y antipoemas*, NICANOR PARRA.
     Edición de René de Costa.
289 *Bajarse al moro*, JOSÉ LUIS ALONSO DE SANTOS.
     Edición de Fermín Tamayo y Eugenia Popeanga.
290 *Pepita Jiménez*, JUAN VALERA.
     Edición de Leonardo Romero.
292 *Gente del 98. Arte, cine y ametralladoras*, RICARDO BAROJA.
     Edición de Pío Baroja.
293 *Cantigas*, ALFONSO X EL SABIO.
     Edición de Jesús Montoya.
294 *Nuestro Padre San Daniel*, GABRIEL MIRÓ.
     Edición de Manuel Ruiz-Funes.
295 *Versión Celeste*, JUAN LARREA.
     Edición de Miguel Nieto.
296 *Introducción del Símbolo de Fe*, FRAY LUIS DE GRANADA.
     Edición de José María Balcells.
298 *La viuda blanca y negra*, RAMÓN GÓMEZ DE LA SERNA.
     Edición de Rodolfo Cardona.
299 *La fiera, el rayo y la piedra*, PEDRO CALDERÓN DE LA BARCA.
     Edición de Aurora Egido.
300 *La colmena*, CAMILO JOSÉ CELA.
     Edición de Jorge Urrutia.


DE PRÓXIMA APARICIÓN

*Poesía*, FRANCISCO DE FIGUEROA.
     Edición de Mercedes López Suárez.